꼭 부자되세요

# 존리의
# 금융문맹 탈출

◆◆◆

대한민국 경제독립 프로젝트

# 존리의 금융문맹 탈출

YOU MUST START NOW!

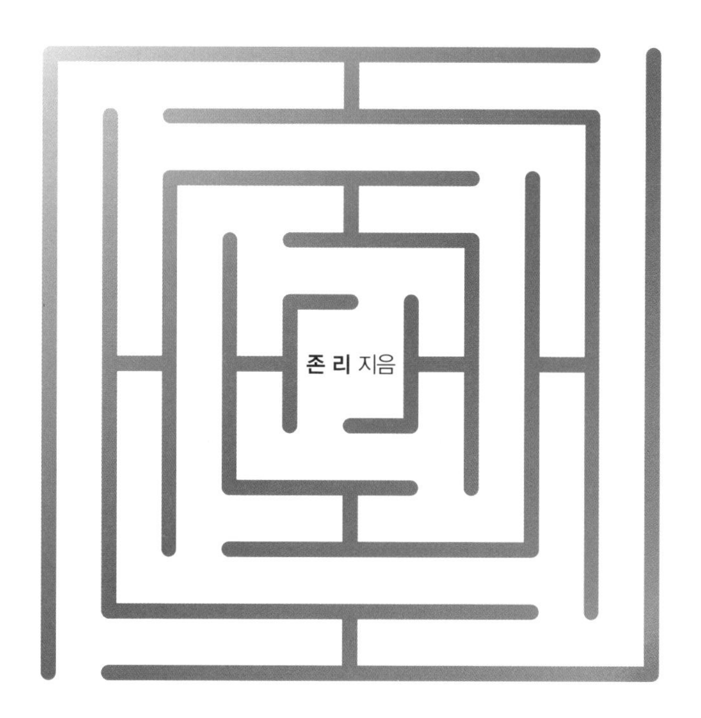

존 리 지음

베가북스
VegaBooks

# Contents

## 제2부 금융문맹 탈출과 주식투자



## 제3부 액션 플랜 : 투자하기 가장 좋은 때는 바로 지금

# 등장인물

**존 리 대표**

메리츠자산운용의 대표이사로,
금융에 대한 사람들의 잘못된 인식을
바꾸기 위해 여러모로 애쓰고 있습니다.

**청중**

존 리 대표의 강의를
듣는 사람들.

**크리에이터**

존 리 대표를 자신의 유튜브 방송에 초대해
인터뷰를 진행하게 됩니다.

## 만화 & 일러스트와 함께하는 재미난 구성

금융에 대한 지식이 별로 없는 왕초보도 지루할 틈 없이 술술 읽을 수 있어요.

## 존 리의 전 국민 부자 만들기 Q&A

대한민국의 금융문맹이 궁금해 할 법한 모든 것을 저자가 직접 답변해줘요.

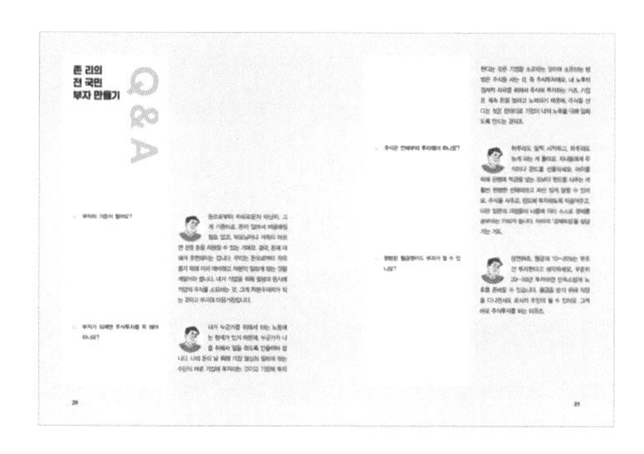


## 책 속 특별선물

한 권을 다 읽고 금융문맹에서 잘 탈출했는지 시험해볼 수 있는 '2020년도 부자능력시험' 30문제가 실려 있어요.

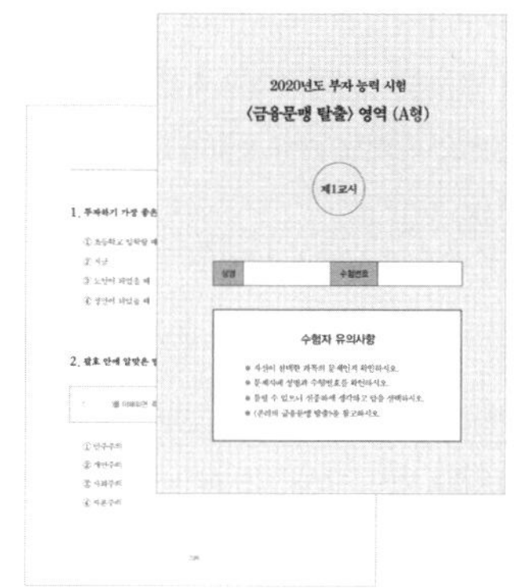

2020년도 부자 능력 시험
〈금융문맹 탈출〉 영역 (A형)

제1교시

| 성명 | | 수험번호 | |
|---|---|---|---|

수험자 유의사항

## 안녕, 금융전도사 존 리입니다.

『존리의 금융문맹 탈출』을 펴내는 이유는 좀 더 많은 사람들, 특히 경제적인 궁핍과 불안에서 벗어나고 싶지만 어떻게 실천할지를 모르는 분들에게 조금이라도 도움이 되고 싶어서입니다. 이전 책을 출간하고 나서 너무나 많은 분들의 사랑과 관심을 얻게 되었습니다. 특히 코로나 바이러스 확산 등으로 인한 경제적인 어려움 때문에 하루라도 빨리 재정적인 자유를 획득하고 싶은 열망이 더욱 절실해진 것 같습니다.

최근 몇 개월 동안 여러 출판사로부터 새로운 책을 출간하자는 제의가 들어왔지만, 대부분은 정중하게 거절했습니다. 저는 이미 출간했던 책들, 『왜 주식인가』, 『엄마 주식 사주세요』, 『존 리의 부자 되기 습관』으로 충분하게 저의 주식투자 철학과 부자 되는 라이프스타일을 전달했다고 판단했기 때문입니다. 또 조금 책이 잘 팔린다고 해서 계속 비슷한 책을 내는 것이 무척 부담스럽기도 했습니다. 하지만 많은 제안 중에서 베가북스의 제안은 눈길을 끌었습니다. 그동안 제가 진행해온 다양한 강연의 내용, 여기저기 강연을 하면서 청중들로부터 받았던 질문들, 그리고 무엇보다 간간이 언급했지만 제대로 넉넉하게 설명할 기회를 얻지 못했던 '금융문맹'이라는 개념에 초점을 맞추어, 이를 만화와 결합해 책을 펴낸다면, 아직도 금융을 어려워하는 분들에게 보다 쉽게 접근할 수 있다는 아이디어에 설득력이 있다고 느꼈습니다. 사교육에 관한 저의 주장은 어쩔 수 없이 이번 책에서도 강조했습니다. 저번 책과 겹치는 토픽이긴 하지만 그만큼 이 이슈가 중요하다고 인식해주시면 감사하겠습니다.

코로나 바이러스의 창궐로 인해 사람들의 경제적 독립에 대한 욕구가 절실해진 것이 사실입니다. 경제와 재테크 관련 서적이 많이 팔리고, 경제 전문 유튜버들이 점점 더 이목을 끄는 것도 그런 이유에서일 것입니다.

평생 주식에 투자하면 큰일 날 것처럼 생각하던 분들이 주식시장에 관심을 기울이는가 하면, 실제로 투자를 시작하는 사람들이 빠르게 늘어나고 있습니다. 특히 젊은 층들이 주식에 관심을 갖고 투자하는 것은 무척 고무적입니다. 하지만 아직은 주식투자에 대한 우려의 목소리도 적지 않은 것 같습니다. '동학개미'가 결국은 실패할 것이라는 부정적인 시각도 여전히 존재합니다. 개인들의 노후준비를 위한 투자를 두고 단기 성과만으로 승리했느니, 실패했느니, 하는 논의 자체가 한국의 금융문맹이 얼마나 심각한 수준인지를 가늠하게 합니다. 동학개미로 불리는 개인투자자들이 주식투자를 시작했다는 사실은 역사적 의미를 갖습니다. 자본주의를 이해하고 실천하는 사람들이 그만큼 많아졌다는 의미이기도 합니다. 동학개미들의 주식투자를 척박한 한국 자본시장의 마중물이라 생각합니다.

이제는 정부가 나서서 이분들의 투자를 보호하는 역할을 해야 합니다. 꾸준하게 장기적인 양질의 자금이 자본시장에 흘러들어오도록 물꼬를 트는 역할을 해야 합니다. 퇴직연금제도의 개선도 시급하고, 기업의 투명성도 반드시 높여야 합니다. 자본과 노동을 가장 효과적으로 분배하는 것이 아주 중요합니다. 자본시장에 돈이 넘쳐나야 새로운 기업이 탄생합니다. 일본의 잃어버린 30년을 교훈 삼아, 자본시장의 활성화가 그 무엇보다 중요함을 많은 사람이 깨달아야 합니다. 시간이 없습니다. 일본과 같은 실수를 하지 않으려면 큰 배의 방향을 트는 것처럼 심각하게 금융을 향한 관심을 높여야 합니다. 이 모든 것을 당장 시작해야 합니다.

저는 그동안 받았던 많은 질문에 대해 주위의 사랑하는 사람들에게 설명한다는 느낌으로 이 책의 내용을 풀어나감으로써, 경제용어나 경제개념이 주는 딱딱함을 가능한 한 줄이려 했습니다. 이것이 기존의 책들과의 흡족한 차이점이 되기 바랍니다. 아울러 다른 비슷한 책들이 다루지 않은 관점들을 쉽고 편하게 풀어쓰려는 노력도 게을리하지 않았습니다. 아무쪼록 이 책이 (미처 우리 자신이 인식조차 못 하는) 금융문맹 상태를 벗어나 경제독립을 쟁취하고자 하는 사람들에게 도움이 될 수만 있다면, 저는 너무나 행복할 것입니다.

실제로 삶의 희망을 되찾았다고 감사의 글을 보내주시는 독자들이 많습니다. 금융문맹의 탈출은 개인의 삶을 윤택하게 할 뿐 아니라, 우리나라를 모든 국민이 더불어 잘 사는 금융선진국으로 바꾸는 계기가 될 수 있다고 확신합니다. 여러분의 노력을 진심으로 응원합니다.

2020년 9월
북촌에서

# 제1부

# 금융문맹 탈출

# 1 금융문맹이 무엇이기에?

## 지금 당장 금융문맹에서 탈출하라

금융문맹은 영어로 Financial Illiteracy라고 한다. 금융문맹은, 쉽게 말하자면, 금융 지식이 상당히 부족하다는 뜻이다. 금융은 결국 돈에 관한 문제이므로, 금융문맹은 돈이 어떻게 생기거나 조달되고, 유통되고, 사용되는지, 어떻게 인간의 삶에(혹은 경제활동에) 연관되는지, 돈이 어떻게 불어나거나 줄어드는지, 돈의 가치가 왜 오르거나 내려가는지, 등을 전혀 이해하지 못하는 것을 의미한다.

금융문맹의 심각성은 아무리 강조해도 지나치지 않을 정도이고, 모든 나라가 금융문맹률을 낮추고자 다양한 노력을 기울이고 있다. 각종 지표를 통해 본 한국의 금융문맹률은 아주 높은 수준이다. 우리나라 사람들은 대부분 어렸을 때부터 돈을 멀리해야 한다든지 하는 잘못된 교육을 받았고, 학교나 직장에서 돈에 관한 적절한 교육을 제공하지 않았던 결과다. 이처럼 높은 금융문맹률로 인해 한국 사회가 겪고 있는 현실은 너무나 처참하다. 노인층의 빈곤율 세계 1위, 자살률 세계 1위 같은 수치가 보여주는 암울한 현실이다. 자살률이 높은 가장 큰 원인 중 하나가 경제적 어려움 아니겠는가? 은퇴한 후에도 노후자금이 부족해 평화롭고 우아한 은퇴자의 삶을 누리지 못하고, 다시 일자리를 찾아 기웃거려야 하는 것이 한국의 현실이다.

금융에 대한 이해도가 높은 사람과 그렇지 못한 사람의 삶은 시간이 지날수록 극명하게 차이가 난다. 금융을 이해하는 것은 돈을 이해하고 다루는 것부터 시작된다. 돈을 어떻게 벌고, 소비하고, 투자할 것인가에 대해 효과적이고 합리적으로 결정할 수 있는 지식을 지닌 사람이 금융에 대한 이해도가 높은, 즉 금융문맹을 탈출한 사람이다.

그렇지 못한 사람은 돈에 대한 지식이나 생각이 희미하거나 막연하고, 돈을 감정적으로 다루는 사람이라 할 수 있다. 이런저런 기회가 있을 때마다 내가 말해왔던 것처럼, 돈을 감정적으로 다루는 사람들은 반드시 그 대가를 치르게 되어 있다. 반면, 돈으로부터 자유로운 사람들을 경제적 독립을 이룩한 사람이라고 일컫는다. 국민 한 사람 한 사람이 경제독립을 한다면 한국 사회가 안고 있는 많은 문제점이 사라질 것이다. 특히 저출산과 고령화의 문제도 크게 해소될 것이다.

금융문맹은 마치 질병과도 같아서, 그 전염성과 중독성이 강하다. 한 사람의 잘못된 금융 지식과 습관은 본인의 경제독립을 그르칠 뿐 아니라, 가족을 가난하게 만들고 후손들의 경제생활을 어렵게 하며, 사회를 힘들게 하고 궁극적으로는 국가의 경쟁력을 약화시키게 된다.

경제 발전의 성취도가 대단히 높음에도 불구하고 금융문맹의 폐단을 극명하게 보여준 나라를 꼽으라면, 우리나라와 더불어 바로 이웃나라 일본을 그 예로 들지 않을 수 없다. 다만, 우리나라의 경우 한 가지 다행인 점은 우리에겐 아직 시간이 있다는 것이다. 일본은 이미 고령화

시대에 깊숙이 들어와 있는 데다 젊은 층의 금융문맹률이 높아서, 어떤 수단을 동원해도 그 문맹 상태를 바꾸기가 상당히 어려운 지경에 이르렀다. 또 일본은 아무리 돈을 많이 찍어내도 경제가 활성화되지 못하고 도리어 디플레이션과 마이너스 금리라는 초유의 사태에 직면하고 있다. 현재 한국의 상황은 일본의 10년 혹은 15년 전과 비슷하다고 판단된다. 지금부터 금융문맹 퇴치를 시작한다면 충분히 일본과는 다른 길로 갈 수 있을 것이다. 그렇다고는 해도 우리에게 시간이 넉넉한 것은 아니다. 지금부터 생각을 바꾸고 단호한 액션을 취해야 한다.

## 왜 금융문맹에서 벗어나야 하는가?

자본주의의 기본 원리와 자본의 힘을 제대로 이해하면, 즉 '금융문맹'에서 벗어나면, 누구나 부자가 될 수 있다. 나는 이 점을 믿어 의심치 않는다. 우리가 글을 알아야 사회생활을 할 수 있듯이, 돈을 이해하지 못하는 사람은 경제생활을 이어가지 못한다. 미국의 경우를 예로 들어보자. 가령 프로 스포츠의 세계를 들여다보면, 일 년에 몇 천만 달러씩을 벌어들이는 선수들이 적지 않다. 하지만 그들 중 60%가 늙어서 파산 신고를 한다. 돈을 어떻게 쓰고, 저축하고, 또 투자해야 하는지에 대해 별로 관심이 없고 잘 모르기 때문이다. 자기는 평생 '한창때'처럼 잘살 것이라는 착각에 빠져, 남들이 부러워하는 연봉을 벌면서도 불행한 미래를 맞이한다. 금융문맹이 가져오는 재앙이다.

이처럼 금융문맹은 굉장히 무서운 것이다. 금융문맹에 갇힌 사람들의 후손은 대대로 가난해질 수밖에 없다. 하지만, 금융문맹 상태를 일찌감치 벗어난 유대인 같은 민족은 대대손손 부자가 될 뿐만 아니라, 대가족을 이루어 풍족하게 살아간다. 앞에서 금융문맹의 폐해를 가장 잘 나타내고 있는 나라가 일본과 우리나라라는 것을 이야기한 바 있다. 일본 걱정이야 일본 사람들에게 맡긴다 치더라도, 우리나라가 일본을 닮아가는 것을 보고만 있다가는 앞으로 크게 후회할 일이다.

우리나라는 교육열이 높기로 유명하지만(혹은 관점에 따라 악명이 높지만), 교육 잘 받은 것과 금융을 제대로 이해하는 것은 완전히 범주가 다른 이야기다. 사실 공부 잘하는 사람은 모험이나 위험을 싫어하는 경향이 강해서, 가난해질 (혹은 큰 부자가 되지 못할) 가능성이 오히려 크다고 해도 과언이 아니다. 부자가 되고 경제적 자유를 만끽하고 싶으면, 모범생이 아니라 '모험생'이 되어야 한다. 유대인들은 창의성을 키우고, 남들이 안 하는 것을 용감하게 시도하게끔 북돋워주는 방향으로 교육을 펼친다. 머리 똑똑한 것으로 견주자면, 한국인이 유대인보다 어디 모자랄 데가 있겠는가? 다만 한 가지, 한국인들은 돈에 대해서 거의 아무것도 가르치지 않아서, 금융문맹을 양산해낸다는 것이 문제다.

한국 사람들은 돈을 좋아하는 마음, 부자 되고 싶은 마음을 드러내는 것이 괜히 부담스러운 모양이다. TV에서든, 책에서든, 강의에서든 우리는 "돈이 행복을 가져다주는 것은 아닙니다." 식의 이야기를 무시로 듣게 된다. 정말 그럴까? 아니, 사실은 정반대다. 돈이 없으면 불행해지기 쉽다. 누구든 주저하지 않고 말한다, 살아가는 데 있어서 돈이 전부는 아니라고. 물론 진심을 드러내는 말은 아닐 것이다. 돈이 전부는 아니다. 그러나 행복의 80%는 차지한다. 엄청나게 중요하다.

유대인은 아이들에게 어렸을 때부터 돈의 중요성을 알려주고 돈을 벌도록 하되, 그 돈을 잘 쓰는 방법도 함께 가르친다. 그래서 유대인들은 대개 돈을 함부로 쓰지 않고, 좋은 일을 위해 평생토록 열심히 번 돈을 기증하고 생을 마감한다. 어느 모로 보나 바람직한 모습이다. 이에 비해 우리나라에서는 돈이 얼마나 중요한지를 가르치는 대신, 돈을 멀리하라고 가르친다. 현실과는 반대되는 교육과 돈에 대한 철학의 부족으로 개인들의 삶은 갈수록 피폐해진다. 참 안타까운 모습이다.

그 결과 한국은 가장 노후준비에 미흡한 나라가 돼버렸다. 노인층의 빈곤율이 무려 50%에 달한다. 전 세계에 유례가 없는 수치다. 부끄러워해야 할 통계다. 노인 2명 중 1명은 빈곤층이라는 뜻이니까. 부모가 빈곤층이라면 그 자식도 빈곤해질 확률이 높지 않겠는가. 만약 80세 이상인 고령의 부모가 있는데 자신을 챙길 만한 경제력이 없다면, 50세를 넘긴 자식이 부모님 돌아가실 때까지 그들을 부양해야 한다. 다른 방법이 없다. 그래서 둘 다 가난해질 수밖에 없는 것이다.

이제부터라도 이러한 악순환을 과감하게 끊어야 한다. 개개인의 노력도 필요하고 국가적인 캠페인을 벌여야 한다. 모든 국민이 금융문맹에서 벗어나 제대로 돈을 벌고, 현명하게 소비하고, 슬기롭게 투자해야 한다. 우리가 일본과 같은 길을 간다고 가정하면 너무 끔찍한 일이 아니겠는가.

# 존 리의 전 국민 부자 만들기

Q 부자의 기준이 뭘까요?

돈으로부터 자유로운지 아닌지, 그게 기준이죠. 돈이 없어서 비굴해질 필요 없고, 부모님이나 가족이 아프면 선뜻 돈을 지원할 수 있는 거예요. 결국, 돈에 대해서 유연해지는 겁니다. 우리는 돈으로부터 자유롭기 위해 미리 대비하고 자본이 일하게 하는 것을 깨달아야 합니다. 내가 기업을 위해 일함과 동시에 기업의 주식을 소유하는 것, 그게 자본주의자가 되는 것이고 부자의 마음가짐입니다.

Q 부자가 되려면 주식투자를 꼭 해야 하나요?

내가 누군가를 위해서 하는 노동에는 한계가 있기 때문에, 누군가가 나를 위해서 일을 하도록 만들어야 합니다. 나의 돈이 날 위해 가장 열심히 일하게 하는 수단이 바로 기업에 투자하는 것이고 기업에 투자

한다는 것은 기업을 소유하는 것이며 소유하는 방법은 주식을 사는 것, 즉 주식투자예요. 내 노후의 경제적 자유를 위해서 주식에 투자하는 거죠. 기업은 계속 돈을 벌려고 노력하기 때문에, 주식을 산다는 것은 한마디로 기업이 나의 노후를 위해 일하도록 만드는 것이죠.

Q 주식은 언제부터 투자해야 하나요?

하루라도 일찍 시작하고, 하루라도 늦게 파는 게 좋아요. 자녀들에게 주식이나 펀드를 선물하세요. 아이를 위해 은행에 적금을 넣는 것보다 펀드를 사주는 게 훨씬 현명한 선택이라고 자신 있게 말할 수 있어요. 주식을 사주고, 펀드에 투자하도록 이끌어주고, 이런 일련의 과정들이 나중에 아이 스스로 경제를 공부하는 기회가 됩니다. 아이의 '경제독립'을 앞당기는 거죠.

Q 평범한 월급쟁이도 부자가 될 수 있나요?

당연하죠. 월급의 10~20%는 무조건 투자한다고 생각하세요. 꾸준히 20~30년 투자하면 만족스럽게 노후를 준비할 수 있습니다. 월급을 받기 위해 직장을 다니면서도 회사의 주인이 될 수 있어요. 그게 바로 주식투자를 하는 이유죠.

Q 한 달에 200만 원 정도 수입이 있는 직장인입니다. 그런데 나를 위한 선물로 하루에 커피 한 잔을 선물하는 것조차 허락하지 않는 삶이라면 부자가 된들 무슨 낙이 있을까요?

나를 위한 선물로 커피 한 잔이 아니라 미래를 선물하라고 말씀드리고 싶네요. 커피 한 잔으로 얻는 '부자처럼 보이는 라이프스타일'이 아닌, 'pay yourself first!' 자기 자신을 위해 미래를 선물하는 것이 훨씬 의미가 있습니다.

Q 아이들 사교육비를 줄이라고 하시는데, 아이가 공부를 못해서 좋은 학교, 좋은 직장에 못 들어가면 결국 부자가 될 수 없지 않을까요?

공부를 잘해서 좋은 대학교, 좋은 직장에 들어간다고 해서 부자가 될 수 있을까요? 공부 잘하는 것과 부자가 되는 것은 연관성이 없습니다. 오히려 공부가 뒤처진 아이들이 부자가 된 경우가 더 많습니다. 게다가 사교육비를 지출한다고 해서 아이가 공부를 잘하는 것도 아닙니다. 사교육비로 지출할 돈을 주식이나 펀드에 투자하면, 아이가 어른이 되었을 때 큰 금액이 됩니다. 그 돈을 창업자금으로 쓴다면 얼마나 좋을까요. 금융문맹에서 벗어나지 못한 사람은 과도한 사교육비 지출 때문에 본인의 노후준비는 물론 아이들의 경제독립까지 망치게 됩니다.

# 2 401(k) 플랜과 미국의 금융 경쟁력

1960년대 말부터 시작된 일본의 경제력 부상은 항상 초강대국 지위를 유지하려던 미국을 긴장시키기에 충분했다. 일본 기업들의 시가총액이 미국 기업을 크게 앞질렀고 전 세계의 은행 가운데 자산의 규모에 있어서 1등부터 10등까지를 일본은행들이 독차지하게 되었다. 일본을 보고 배워야 한다는 주장이 힘을 얻게 되었다. 각종 매스컴에서도 일본을 소개하는 프로그램이 넘쳐났고, 일본문화의 찬양은 보편적인 것으로 상황이 변했다.

나아가 경쟁력에 있어서도 미국이 일본에 뒤지는 상황이 되었다. 미국 경쟁력의 원천이라고 믿었던 민주적이고 자유로운 기업문화, 직장인들이 일자리를 자주 바꾸는 행태 등이 미국을 뒤지게 하는 것이 아니냐는 의견들이 대두하고 있었다. 일본의 종신고용, 상명하복의 일사불란함이 일본의 경쟁력을 가져왔다고 믿는 사람들이 늘어났다.

하지만 미국의 소수 리더들의 생각은 달랐다. 일본의 경직된 사회시스템, 배타적인 교육, 변화를 두려워하는 민족성 등이 일본 경제의 발목을 잡을 것으로 예상했다. 내가 일했던 회사에서도 일본을 바라보는 시선은 사뭇 부정적이었다. 특히 금융산업에 대한 일본의 무지함이 일본 경제의 어려움을 부채질할 것으로 예견했다. 미국은 경쟁력을 잃어버린 철강, 조선, 자동차에 연연하기보다 지속적으로 가치를 창출할 수 있는 시스템에 열중했다. 그리고 새로운 기업들이 탄생할 수 있는 생태계를 만드는 것이 중요하다고 생각했다.

1980년에 도입된 퇴직연금제도인 401(k) 플랜은 미국이 다시 경쟁력을 회복할 수 있는 결정적인 계기가 되었고, 미국의 금융산업도 엄청난 경쟁력을 갖게 된다. 401(k) 플랜은 미국의 가장 대표적인 DC형 퇴직 연금제도를 일컫는다. 이 생소한 명칭은 미국의 근로자 퇴직연금 소득세법 401조 k항을 따서 생긴 것이다. 401(k)는 미국 근로자들이 소득 중 10%를 노후를 위해 투자하게 하고 여기에 회사들이 동참해서 근로자들이 투자한 금액의 일정 금액을 추가해서 투자함으로써, 근로자들의 노후 준비를 도울 뿐 아니라 이직을 막기 위한 수단으로 사용되었다.

게다가 중간에 연금을 찾는 경우, 부과되지 않은 세금과 페널티를 부과함으로써 59.5세까지는 연금을 유지하도록 유도했고 근로자들이 노후를 준비하도록 했다. 지금도 미국에서는 이 401(k) 제도 덕분에 수백만 명의 백만장자가 탄생하고 있다. 이 제도는 개인 근로자들의 노후준비를 도와주는 데 결정적인 역할을 함과 동시에, 미국의 금융업 성장과 새로운 기업이 탄생할 수 있는 장기적인 토양을 마련하였다. 미국의 근로자들은 보통 2주마다 봉급을 받는다. 봉급의 10%와 기업이 근로자들을 위해 추가로 투입하는 자금이 2주마다 꾸준히 자본시장에 유입됨으로 인해, 미국 기업들의 자금 조달 비용도 낮아지고 또 새로운 패러다임을 가진 기업들이 꾸준히 탄생하는 토양도 다져진 것이다. 우리가 흔히 듣는 미국의 새로운 기업들이 이러한 바탕에서 태어났고, 젊은 세대들의 창업 열풍도 그렇게 뒷받침되었다.

실제로 401(k) 플랜이 도입된 이후 20년 동안 미국 증시가 과연 어떻게 움직여왔는지, 그 추세를 웅변적으로 보여주는 그래프가 여기 있다. 아래의 표에서 우리는 이 제도가 정식 도입된 1980년부터 1999년까지의 20년 동안 미국 증시를 대표하는 다우지수(Dow Jones Index)가 얼마나 지속적으로 확연하게 상승했는지를 고스란히 볼 수 있다.

표1: 1980년대 및 90년대 미국 증시의 놀라운 '랠리'(강세전환)

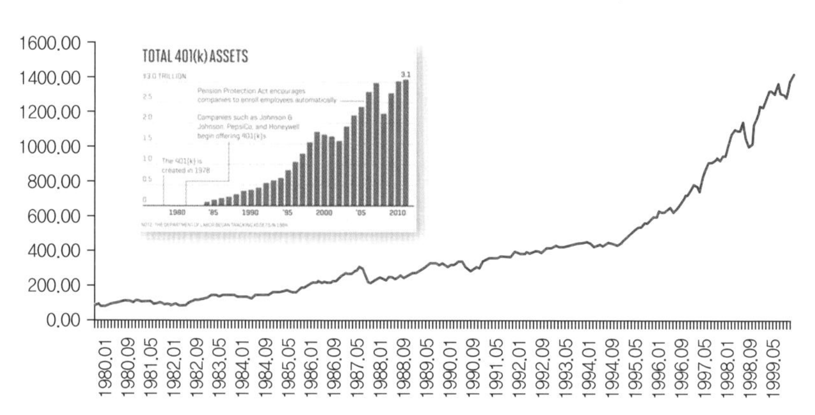

이에 비해 우리나라의 경우는 어떨까? 미국의 401(k)와 같은 퇴직연금 제도가 2005년에 도입되긴 했지만, 이를 통해 축적된 자금의 운용에 관한 한 처참할 정도로 낙후된 상황이다. 기업들이든 근로자들이든 대부분 퇴직연금 제도에 거의 관심이 없고, 그 중요한 자금도 주식에 투자된 게 아니라 원금보장형 상품에 머물러 있다. 금융문맹의 한 형태인 '주식투자에 대한 두려움'은 결국 한국 금융산업의 낙후, 개인들의 노후준비 부족, 국가경쟁력의 약화 등을 초래하고 있다. 무엇보다도 개선되어야 할 제1순위는 퇴직연금에 관한 법과 제도의 정비다. 그리고 근로자 개개인의 교육과 인식 변화가 절실하다.

# 3 한국과 일본, 최악의 금융문맹 사례

## 고질적인 금융문맹 국가들

OECD 국가 중 가장 극심한 금융문맹으로 꼽히는 나라가 어디일까? 바로 이웃 나라 일본이다. 일본은 급속도로 고령화가 진행되어 100세 이상의 인구가 7만 명이나 되는데, 개개인의 노후는 한층 더 어려워졌다고 한다. 일본의 최근 과거를 일컬어 흔히 '잃어버린 30년'이라고 한다. 왜 그렇게 이야기할까? 일본인들은 그들 특유의 세심함과 끈기로 제조업을 통해서 많은 부를 축적했지만, 문제는 "그다음"이 없었다. 돈이 일하게 하는 방법을 깨닫지 못했다는 뜻이다. 그렇게 쌓아 올린 자본이 지속적으로 수익을 창출하는 금융자산이나 생산에 다시 투입되지 않고, 대부분 은행 계좌에 입금되어 있거나 부동산에 투자되어 땅이나 건물에 묶여버린 것이다. 한마디로 돈이 일하지 않고 게으름뱅이나 잠꾸러기가 되어버린 것이다. 이렇듯 30년 동안 은행에 몰린 많은 돈은 가치가 떨어지면서 경제는 활력을 잃게 되고, 미래에도 그다지 희망이 보이지 않는다.

그런데 지금 우리나라가 안타깝게도 '금융문맹률로 따지면 세계 1등'인 일본을 너무 닮아가고 있다. 일본처럼 고령화 사회가 되어가고 있어서 불안한 데다, 일본과 같이 고약한 금융문맹 국가가 되어가는 중이다. 보통 일본 사람들은 주식에 대한 이해도도 크게 뒤떨어지고 주식에 투자하는 것을 부끄럽게 여긴다고 한다. 주식투자로 생긴 수익은 불로소득이라고 치부하기 때문일까?

아무튼, 그들은 떳떳하게 부를 창출하는 방법이 노동력에만 국한되어 있다고 생각하는 것 같다. 돈이 나를 위해서 일하도록 만든다는 생각은 별로 하지 않는다. 이것은 자본주의와 시장경제에 대한 착각이라 할 수 있다. 금융에 관한 공부와 이해가 부족하고, 더 나아가 부를 창출하고 확대하는 다양한 방법에 관심이 부족하다. 어째서 대한민국은 이런 일본을 닮아가는 것일까?

## 한국은 일본의 잘못을 되풀이하나?

"돈을 위해 일하지 말고 돈이 나를 위해 일하게 하라."

일본은 이 점에서 너무도 방심했고 소홀했다. 인간의 노동력을 이용해 제품과 용역(서비스)을 창출하는 것은 중요하게 여기면서도, 금융소득, 즉 돈이 일해서 벌어들이는 수익을 떳떳하지 않게 보는 문화가 전형적인 금융문맹의 사례다. 그러한 사고방식 때문에 제조업으로 축적한 많은 자본이 새롭고 좀 더 부가가치가 높은 산업으로 흘러 들어가지 못하게 하는 우를 범했다. 그 결과가 오늘의 일본을 만든 것이다. 지금 일본에 가면 마치 타임머신을 타고 20년을 되돌아간 느낌을 받는다. 신용카드를 받지 않아 일본 정부가 지향하는 '현금 없는 미래 사회'에 역행하는 상점이 아직도 너무나 많다. 그런가 하면, 사람들은 아직도 투자를 두려워하고 은행 예금에만 자산을 쌓아놓는다. 원금손실을 두려워한다든지, 주식투자로 번 돈은 불로소득이라고 생각하는 금융문맹의 전형적인 예를 일본에서는 흔히 발견할 수 있다.

참으로 묘하게도, 한국 역시 일본과 크게 다르지 않다. 우리나라 역시 주식투자를 멀리하고 (혹은 두려워하고) 부동산에만 몰두한다든지, 원금 보장이라는 안전지대를 벗어나지 못한 채, 은행 예금만 불리고 있는 사람들이 대부분이니까 말이다.

그뿐만이 아니다. 안타깝게도 한국은 일본에 비해 훨씬 더 근원적인 문제가 있다. 이 문제 때문에 일본보다 훨씬 더 빈곤화가 가속되고 있다. 바로 악명 높은 사교육 지출이다! 한국 금융문맹의 대표적인 폐해로 꼽아도 무리가 아닐 것이다. 한정된 자산을 가장 효과적으로 투자해도 모자랄 지경인데, 그 아까운 돈을 경제적 독립과는 전혀 관계가 없는 (그리고 그 효과도 결코 긍정적이라 할 수 없는) 자녀들의 사교육에다

낭비하고 있는 것이다. 이는 아이가 있는 거의 모든 가정에서 벌어지고 있는 금융문맹의 사례다. 그리고 일부 부모들의 희망과는 달리, 이런 해묵은 관행이 한국의 경쟁력을 급속도로 떨어뜨리고 있다.

# 존 리의 전 국민 부자 만들기

Q 취직보다는 창업을 추천하시는데, 위험하지 않나요?

사실 그런 생각은 고정관념에 불과해요. 다들 하고 싶어 하는 공무원이나 대기업은 경쟁률이 200대 1 이상일 정도로 엄청나죠? 창업이 위험하다고 생각하는 것은 편견에 불과하죠. 부자가 될 수 있는 확률까지 계산한다면 창업이 훨씬 유리합니다.

Q 한국 사회에서는 흙수저가 성공하기 힘들다고 들었습니다. 그래도 부자가 될 수 있을까요?

거꾸로죠. 저는 제 주변에서 흙수저가 부자 되는 모습은 수없이 보아왔지만, 금수저가 지속적으로 부자가 되는 것은 오히려 많이 보지 못했습니다. 그 금수저들은 소비하는 데에는 익숙하지만, 수입의 창출에는 익숙하지 않기 때문이죠. 투자에 대해 배우지 못했고 돈 아낄 줄을 모르기 때문에 정말로 엄청난 재벌이 아닌 이상 평생 쓰기만 하다가 잘못되는

것을 흔하게 목격했어요. 제대로 된 경제교육을 못 받았기 때문에 사기당하는 일도 많고요.

Q 명품 백을 사지 말라고 하시는데, 젊었을 때 사야 즐길 수 있는 거지, 나이가 들어 그런 명품이 100개가 있다 한들 무슨 의미가 있을까요?

순서의 차이죠. 천만 원을 가지고서 일억 원을 만든 다음에 백만 원짜리 명품 백을 갖는 것은 문제가 되지 않지만, 천만 원을 가지고 있을 때 백만 원짜리 명품 백을 사는 건 잘못된 라이프스타일입니다. 순서의 차이가 크나큰 경제적 어려움을 초래합니다.

Q 한국의 고성장 시대에는 주식 가격이 올라갈 수 있었지만, 앞으로는 힘들지 않을까요?

미래를 단정 짓는 건 너무 성급하지 않을까요. 혁신적인 기업은 얼마든지 나올 것이고, 한국은 아직 기회가 많습니다. 우리 부모 세대가 아이에게 돈을 가르치고 창업을 가르쳐야 합니다. 또한 우리가 금융문맹에서 빨리 탈출해야 아이들의 경제독립이 빨라져요. 그리고 그 과정에서 더 혁신적이고 세계를 이끌어 갈 기업이 나올 수 있는 거죠. 다행히 한국은 그러한 혁신적인 기업이 나올 수 있게 뒷받침할 자금이 충분합니다. 부동산에 투자되는 자금, 사교육비, 국민연금, 각종 기금, 퇴직연금 등, 약 1천조 원에 달하는 엄청난 자금이 올바르게 투자되지 않고 있습니다.

# 4 유대인의 길을 따라가라

'금융문맹국' 일본의 정반대에 있는 사람들이 바로 유대인이라고 생각한다. 유대인은 미국 인구의 2%밖에 되지 않지만, 미국 전체 자산의 20%를 소유하고 있다고 한다. 그들의 영향력은 여간 큰 게 아니다. 학교나 관공서들이 유대인의 공휴일에 모두 다 쉴 정도다. 왜 그럴까? 다른 무엇보다도 바로 유대인의 경제력 덕분이 아닐까? 전체 인구의 극히 작은 한 부분만을 차지하는 유대인들이지만, 막강한 자산으로 미국을 움직이게 하는 것이다. 중동에서 분쟁이라도 생기면, 미국은 전 세계의 쏟아지는 비난을 감수하면서도 항상 이스라엘 편을 든다. 이 역시 결국은 유대인들이 가진 높은 경제력 덕분이라고 본다.

그들은 13살에 성인식을 하고, 그때부터 부의 축적을 배우고 익히기 시작한다. 쉽게 얘기하면 "돈 사용법"을 배우는 것이다. 더 나아가 자본주의의 여러 측면도 배우고, 주식투자 같은 돈(자본)의 활용은 당연한 일상으로 여긴다. 한마디로 돈이 날 위해 일하게 하는 것, 나의 육신보다도 돈이 더 열심히, 더 빨리, 더 효율적으로 일해야 한다는 것을 일찌감치 깨닫는 것이다. 유대인의 막강한 경제력의 비밀이 여기에 있다.

여느 민족이나 마찬가지로 유대인들에게도 나쁜 점이나 바람직하지 못한 점도 있을 테고, 반드시 배워야 할 좋은 점도 있을 것이다. 그중에서도 어릴 때부터 금융과 자본을 가르치는 관습은 우리가 반드시 배우고 따라야 할 좋은 점이라고 믿어 의심치 않는다.

표2: 한국인과 유대인의 교육 방식

### 한국 [수직적 교육]

◆ 세계적인 리더가 나오지 않는 이유

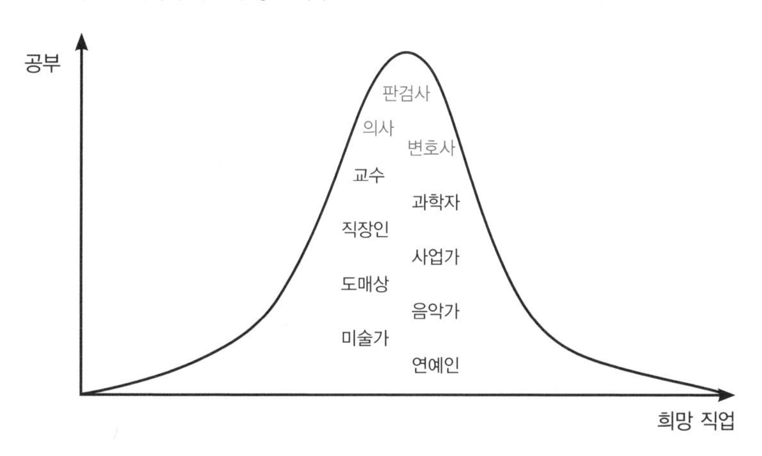


### 유대인 [수평적 교육]

◆ 세계적인 리더를 양성하는 교육

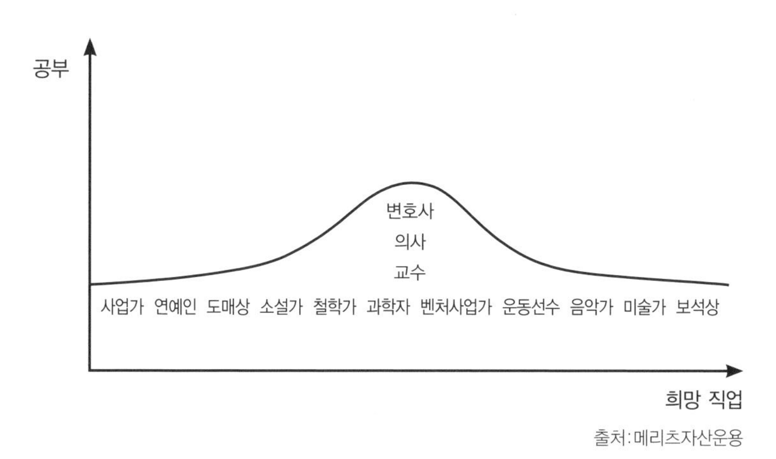


출처: 메리츠자산운용

우리나라에서는 아이들의 장 · 단점이라든지 아이들이 원하는 직업과는 무관한 주입식 교육을 지금도 변함없이 강요하고 있다. 아이들의 시험 성적을 그 어떤 것보다 중요시하는 교육정책이 아이들의 창의성을 빼앗아가고 글로벌 인재가 되는 것을 가로막는다. 이에 비해서 유대인의 교육은 아이들이 원하는 직업을 찾아가도록 유도한다. 아이들이 모두 학업성적에 몰두하도록 이끄는 게 아니라, 창의성을 갖고 자신들이 잘하는 것에 충실할 수 있도록 도와주는 것이다.

교육열로 따졌을 때 유대인과 한국인은 다른 어느 민족에게도 뒤지지 않는다. 하지만 한국의 교육 방법은 세계적인 리더가 나오기 힘들게 한다. 아이들 개개인이 가진 경쟁력을 고려하지 않고 무조건 국 · 영 · 수 위주로 암기 교육을 하고, 평생토록 시험에 시달리게 하는 교육은 창의성을 죽이는 교육이다. 유대인의 교육열도 한국처럼 높지만, 우리처럼 단순히 '공부 잘하기'에 그치지 않는다. 창의성 있는 아이들로 기르고, 학생 한 사람 한 사람의 장점을 알아주어 끊임없이 칭찬하고 북돋워준다. 입시, 각종 고시, 취직 시험에 시달리는 한국의 교육과는 확연히 다르다.

지금 우리나라는 중대한 기로에 서 있다. 거의 '기적'이라 불릴 정도의 놀라운 경제성장도 이룩했고, 전반적인 교육과 국민의 지식도 세계인들이 감탄할 만한 수준에 이르렀으며, 심지어 예술과 문화 영역에서조차 '추종자'가 아니라 '선도자'가 될 정도의 발전을 성취했다. 그런데 왜 개개인의 삶은 여전히 팍팍하고 암울하고 빈곤할까? 왜 금융문맹이라는 오점을 지니게 된 걸까? 이제 우리는 결정해야 한다. 계속 일본을 따라갈 것인가, 아니면 일본의 전철 밟기를 그만두고 유대인을 따라갈 것인가? 나는 우리가 유대인들의 길을 따라가야 한다고 믿는다.

특히 우리 자녀들을 건전한 큰 부자로 만들려면 유대인들로부터 배울 필요가 있다. 유대인이 부자가 되는 이유는 여러 가지가 있겠지만 크게 두 가지를 꼽을 수 있다.

(1) 유대인은 13살이라는 어린 나이에 성인식을 한다. 13살부터 어른 취급을 하고 친척들이 모아준 돈으로 일찍부터 투자를 배워 오랫동안 투자, 즉 돈이 일하게 하는 것을 깨닫게 함으로써 일찍 경제적 독립을 일깨워주는 교육을 한다.

(2) 가족과 함께하는 시간을 갖는다. 유대인들은 종교적인 이유로 금요일 저녁 해가 지기 전에는 반드시 집에 들어가야 한다. 온 식구가 둘러앉아 저녁을 같이하고 많은 대화를 나눈다. 유대인의 교육은 대부분 가정에서 이루어진다.

교육열에 관한 한 한국도 유대인보다 절대 뒤지지 않지만, 잘못된 교육 방식, 즉 입시위주의 시험 공부용 교육 때문에 그들을 앞서지 못한다.

한국 부모들은 자녀교육을 집에서 하기보다 학원에 위탁해버리는 결정적인 오류를 범한다. 유대인의 교육은 개인의 창의성을 극대화하는 것을 목표로 삼는 데 반해, 한국의 교육은 창의성은 다 잃어버린 채 다양성 없이 생각하고 시험 잘 보는 기계와 같은 사람들을 양성하는 수단이 되고 말았다.

똑같이 교육열이 높은 두 민족이지만 결과는 참혹하리만큼 다르다. 전 세계에서 약 0.3%에 불과한 유대인들은 노벨상 전체 수상자의 약

30%를 차지하고 막강한 경제력을 갖게 된 반면, 한국은 한창 창의력을 키워야 할 아이들이 밤늦게까지 학원에서 아까운 시간을 허비하게 만든다. 기계가 할 수 있는 반복된 일에 우리 아이들이 몰두하는 것은 분명 잘못된 교육의 결과다. 안타깝게도 우리 교육은 시험 점수에만 매달려, 마치 군대의 '선착순 문화'처럼 우리 아이들을 못살게 군다.

대학생들에게 장래 희망을 물어보면, 이스라엘은 90%, 중국은 40%가 창업을 원한다고 한다. 일본과 한국에선 그 수가 5%에도 미치지 못한다는 사실은 너무나 안타까운 현실이다.

한국의 잘못된 교육관은 많은 부작용을 낳는다. 너도나도 입시에 매달려 점수 따기에 혈안이 되고, 좋은 점수를 받기 위한 사교육비가 대부분 부모의 노후를 위협한다. 이런 현상을 목격한 젊은 층은 결혼을 미루거나, 결혼하더라도 감당하기 힘든 사교육비가 두려워 아이 갖기를 주저하게 된다. 한국의 낮은 출산율을 해결하는 방법은 교육의 개혁으로부터 시작된다. 아이들을 사교육으로부터 해방하고 그들의 창의력을 극대화하는 교육을 해야 한다. 사교육비에 들어가는 막대한 돈을 아이들의 창업자금으로 돌려야 한다. 한국에서 많은 유니콘 기업이 탄생할 수 있도록 어렸을 때부터 꿈을 크게 갖도록 해야 한다.

한국인이 매우 우수한 민족임은 자타가 공인하는 바다. 누구나 다 알고 있지 않은가. 필자가 한국을 너무 모르는 순진한 사람이기 때문이라고 치부하는 이들도 있지만, 나는 한국의 잠재력을 믿는다. 과감하게 교육제도를 개선하면 한국의 경제력은 10년 안에 경제 규모 5위에 들 수 있는 충분한 요건이 갖추어져 있다.

한국은 인터넷 속도가 가장 빠를 뿐 아니라, 가장 안전하고 가장 대중교통이 발달한 국가이며, 그 국민은 가장 IQ가 높기도 하다. 한국의 장점을 가장 모르는 사람들이 바로 한반도에 살고 있는 우리 한국인이다. 해외투자자들이 자주 하는 말이다. 한국은 제도만 조금 개선하면 엄청난 잠재력이 있는데 우리는 왜 고치려 하지 않는가?

# 5 금융문맹은 이런 모습

이 챕터에서는 한국에서 경험한 금융문맹의 사례를, 즉 한국인들의 노후준비 혹은 경제독립을 힘들게 만드는 고정관념이나 마음가짐을 다루고자 한다. 몇몇 사례들은 여러분이 평소 당연하게 생각했고 지금도 당연한 것으로 간주하는 내용을 담고 있을지도 모르겠다. 어쨌든 나는 이런 것이 바로 우리나라 금융문맹의 현실이라고 생각한다.

• 여러 번 강조하지만 금융문맹의 대표적 사례는 사교육비 지출이다. 한국의 부모들은 너무나 당연하다고 생각하는 지출이지만, 사실

은 가장 잘못된 지출이고 한국이 안고 있는 모든 문제의 근원이 되기도 한다. 우리 아이들과 부모의 경제독립을 위해 일해야 할 자산이 수익 창출은커녕, 아이들의 경제독립을 가로막는 데 쓰이고 있다는 사실을 어떻게 설명해야 할까? 예컨대 한 달에 100만 원이 사교육비로 쓰이는 대신, 초등학교 1학년 아이의 계좌로 들어가 매달 펀드에 투자되고 1년에 7%의 수익을 낳는다고 계산해보자. 아이가 대학을 졸업할 때쯤이면 3억5천만 원이 넘는 큰 금액으로 불어나 있을 것이다. 막대한 사교육비를 지출한다고 해서 아이들이 좋은 학교, 좋은 직장에 들어갈 확률이 높아지는 것도 아니다. 설사 그 확률이 높다 해도 부자가 되는 길과는 멀어질 수밖에 없다. 창의성이 없기 때문이다. 한국 사람들의 사교육비 지출은 금융문맹의 극치를 이룬다.

• 어느 증권사의 고위 임원이 말했다. "저희는 고객이 소유한 펀드 자산을 관리하기 위해서, 10%의 이익이 나게 되면 자동으로 매도해 이익을 실현하고, 10%의 손실이 나게 되면 자동으로 손절매하는 프로그램을 개발 중입니다." 나는 이 말을 듣고 아연실색했다. 증권사의 고위 임원조차 펀드 투자를 마치 도박과 비슷한 것이라고 믿는 것은 아닐까.

• 어떤 증권회사의 광고문이다. "우리 회사는 마켓 타이밍을 잘합니다." 주가나 지수의 상승과 하락을 예측하여 높은 수익률을 얻으려는 투자 행위를 마켓 타이밍이라고 부른다. 고객한테 마켓 타이밍을 하면 안 된다고 말해주어야 정상이 아닐까.

• 근로자들 대부분은 본인의 퇴직연금이 DC(확정기여형)인지 DB(확정급여형)인지도 모른다. 심지어 기업의 경영진도 관심조차 없는 경우가 태반이다. 자신의 연금 자산에 관한 기본 지식, 연말정산에도 등장하게 되는 이런 개념에 관한 지식이 없다는 것이 신기하다.

• 연기금 등이 자신들의 기금 운용에서 한국 주식 비중을 줄이고 대신 해외 주식의 비중을 늘리겠다고 발표했다. 나는 고개를 갸우뚱하지 않을 수 없었다. 왜 한국 기업보다 외국 기업을 더 돕겠다는 것일까? '연못 안의 고래'라는 논리로 한국 주식시장의 규모가 너무 작다고만 한다. 미국이 한 것처럼 연못을 큰 바다로 만들 수 있다는 생각을 해야 하지 않을까?

• 많은 TV의 증권방송이 시청률을 핑계로 주식투자를 마치 '가격 맞히기' 게임처럼 진행한다. 그들의 관심은 온통 주가 예측하기와 매수 및 매도 시점 잡기에 집중되어 있을 뿐, 기업의 펀더멘털에는 그다지 관심이 없다. 그렇기에 장기투자에 관한 이야기는 듣기 어렵다.

• 전국의 어떤 초등학교, 중학교, 고등학교도 금융이나 투자를 가르치지 않는다. 그저 어떻게 해야 높은 시험 성적을 얻을 수 있을까에만 온통 신경이 곤두서 있다. 학생들의 주식투자 클럽은 물론 단 하나도 없다. 자본주의를 표방하는 국가에서 자본주의의 꽃인 주식을 가르치는 곳이 한 곳도 없다는 것, 신기할 따름이다.

• 기관투자자, 개인투자자 할 것 없이 너무나도 많은 투자자들이 기업의 펀더멘털보다 단기간의 수익률에 연연한다. 주식투자가 아니고 마치 카지노에 온 것 같다.

• 국민연금의 단기 성과(수익률)를 놓고 모든 미디어가 아우성이다. 펀드매니저들은 이러한 환경에서 어떻게 장기적인 목표를 설정할

수 있을까?

• TV 연속극에서 "아이고, 주식 하다 망했네!" 식의 대사가 자연스럽게 나온다. 전 국민이 주식을 투기로 여기게 만드는 주범이다.

• 부동산은 괜찮고 주식은 나쁘다고 생각하는 사람이 대부분이다. 부동산에 투자된 돈은 '일하는 돈'이 아니며 확장성도 없다. 일본을 잘못되게 한 주범이기도 하다.

• 부동산 매입이 유리한지, 월세로 사는 것이 유리한지, 제대로 따지는 사람이 드물다. 부동산 가격이 이미 지나치게 비싼 것은 아닌지를 판단조차 하지 않고, 나중에 값이 치솟을 것 같으니 무조건 사야 한다고 믿는 것은 큰 위험을 초래한다.

• 은행 등의 금융기관 직원이 펀드를 판매하면서, 막상 본인 자신은 바로 그 펀드에 투자하지 않는 경우가 허다하다. 고객에게 소개하고 자랑해서 팔 정도로 좋은 펀드라면, 본인도 거기 투자해야 하지 않겠는

가. 선뜻 이해하기 어렵다.

• 퇴직연금의 다양한 투자 대상 가운데 주식이 차지하는 비중이 세계에서 가장 낮다. 주식을 '위험하니까 피해야 할 투자 상품'으로 바라보는 대다수 국민의 인식과 잘못된 퇴직연금 제도가 가져온 결과라 하겠다. 그런 인식과 제도의 개선은 너무나 시급한 문제다.

• 대학기금도 마찬가지다. 장기적으로 가장 높은 재정적 이익을 가져다줄 주식에 기금이 투자되는 경우는 찾아보기 힘들다. 똑똑한 사람들만 가득한 대학에서 왜 자본주의를 이해하지 못하는 걸까?

• 주식투자에서 얻는 수익을 '불로소득'이라고 믿는 사람들이 뜻밖에도 많다. 노동자로만 남겠다는 사람은 부자가 될 수 없다는 사실을 알아야 한다.

• 주식투자를 단기적으로 해야 한다고 믿는 사람들이 대부분이다. 어떻게든 주가가 저렴할 때 매입해서 어느 정도 올랐을 때 매도함으

로써 수익을 내어야만 성공적인 주식투자라고 믿는 것이다. 이런 개인 투자자들에게 10년, 5년, 아니, 1년조차 '장기' 투자라는 개념은 아예 안중에도 없는 것 같다.

• 정부 고위직의 청문회 때 당사자의 주식 보유가 문제가 되곤 한다. 주식투자가 기업들의 성장을 지지하고 북돋우며 금융문맹 탈출을 돕는 지름길일진대, 정부 관리가 한국 기업의 주식을 보유하고 있지 않다면 그것이 오히려 문제가 되지 않을까?

• 자산운용사에 용역을 맡기는 연기금조차 단기간의 수익률을 보고 돈을 더 맡기거나 회수해간다. 장기적인 철학의 부재다. 조금 더 길게 볼 수는 없을까.

• 펀드 판매사나 개인투자가나 대부분 단기간의 수익률을 근거로 펀드를 권유하고 선택한다. 단기 성과만을 근거로 펀드를 고르는 사람들을 영어로 Performance chaser라고 한다. 잘못된 판단 기준임에도 불구하고 대부분이 당연하다고 믿는다.

• 주식투자는 장기적으로 해야 한다는 국내 경제 전문가조차 이렇게 말한다. "최근에 주식이 많이 올랐기 때문에 일단 매도하고 주식이 하락할 때를 대비하라." 언뜻 그럴듯하게 들리지만, 앞뒤가 안 맞는 말이다. 알 수가 없는 것을 맞히려고 하는 것은 도박이다.

• 비싼 명품 백을 사려고 몇백만 원을 쓰는 것은 아깝게 여기지 않으면서, 주식이나 펀드에 투자했다가 10만 원만 손해가 나도 잠을 이루지 못한다. 정말 이해하기 힘든 현상이다.

# 존 리의 전 국민 부자 만들기

Q 주위에 주식투자로 돈 벌었다는 사람을 거의 찾아볼 수 없습니다. 왜 그런가요?

주식투자를 카지노에서 하는 도박처럼 생각하니까 그런 겁니다. 장기투자를 하지 않고 자꾸 주식을 사고팔고 했기 때문에 실패하는 것이죠. 누누이 말하지만, 주식투자는 기업의 가치를 찬찬히 살피고 장기 투자하는 것이 답입니다.

Q 한국 기업의 지배구조는 문제가 많아 보이는데, 주식에 투자해도 될까요?

맞습니다, 우리나라 기업의 지배구조는 개선할 점이 많습니다. 하지만, 바로 그 때문에 한국의 주식은 디스카운트로 거래되고 있죠. 따라서 앞으로 그 점이 좋아진다고 가정하면, 한국 주식은 매력적인 투자 대상입니다.

# 6 테스트 : 나의 금융 지식은 어느 정도?

금융에 관련된 용어들이 얼핏 보기에 어렵게 느껴지는 것은 사실이다. 그러나 조금만 관심을 가지고 그 뜻을 풀어나가기 시작하면, 딱히 난해한 것만은 아니다. 온-오프라인의 사전적 정의를 기본적으로 찾아보고, 언론 기사에 그런 용어들이 등장할 때마다 그 의미를 되새겨 익히는 습관을 들인다면, 오래지 않아서 그 뜻과 쓰임새에 익숙해질 것이다. 금융문맹을 탈출하고 싶다면, 어느 정도는 상식적인 수준에서 꼭 알아두어야 한다.

아래에 예로 든 몇 가지 문제들을 보면서, 우선 내가 기본적인 금융 지식을 얼마나 갖추고 있는지 스스로 판단해보자. 성적이나 등급을 매길 필요는 없다. 모르는 것들은 지금부터 하나씩 배워나가면 될 일이다. 아래 질문들에 대한 답 또는 힌트는 이 책을 읽어나가면서 조금씩 터득할 수 있을 것이다. 모든 질문에 대한 답을 전부 이 책에 담지는 않았다. 인터넷을 통해서 독자 여러분들이 충분히 답을 찾을 수 있으며, 그렇게 답을 구하는 과정에서 다른 금융 지식도 추가로 얻을 수 있다고 생각했기 때문이다.

- 주식이라는 것은 원래 무슨 목적으로 만들어진 걸까? 주식투자는 정말 위험한 것일까? 왜 주식투자가 위험하다고 생각하는 사람들이 많을까?

- 채권이라는 것은 어떤 목적으로 어떤 주체가 발행하는 것이며, 어떻게 유통되는가? 채권 투자에는 어떤 위험이 따르는가?

▸ 기업이 주식을 발행함으로써 자금을 조달할 때 드는 비용과 채권을 발행함으로써 자금을 조달할 때 드는 비용 중 어느 쪽이 더 비쌀까?

▸ 주식과 펀드는 서로 어떻게 다른가? 직접투자와 간접투자의 장단점을 파악하고 있는가?

▸ 주식에 투자할 때와 펀드에 투자할 때, 각각의 경우 투자자는 얼마나 많은 수수료 및 세금을 내야 할까?

▸ 개인이 투자할 수 있는 펀드에는 임의식과 적립식의 두 형태가 있다고 한다. 이 둘의 차이를 알고 있는가? 그리고 개방형 펀드와 폐쇄형 펀드는 서로 어떻게 다른가?

▸ 주식투자는 결국 제로섬 게임이라고 할 수 있을까? 아니면, 당사자 모두가 득을 보는 '윈-윈' 게임인가?

- 투자할 때의 '변동성(volatility)'과 '위험(risk)'이란 각각 어떤 의미이며, 둘 사이에는 어떤 차이가 있을까?

- 주식을 매입하는 시점을 분산함으로써 얻을 수 있는 효과와 관련하여 '달러 코스트 애버리지(Dollar Cost Average)'라는 용어를 들어본 적이 있는가?

- 마켓 타이밍(Market Timing)이 어떤 의미인지 아는가?

- 공모펀드와 사모펀드의 차이점은 무엇일까? 사모펀드는 좋지 않은 것이라는 선입관이 널리 퍼져 있는데, 정말 그럴까?

- 헷지 펀드라는 것이 언론에 자주 등장하는데 이를 정확하게 알고 있는가?

- 액티브 펀드와 패시브 펀드는 서로 어떻게 다른가? 이러한 펀드에 투자할 경우, 각각 어떤 장단점이 있으며, 어떤 위험이 수반

되는가?

- ETF라든가 TDF 같은 용어의 의미는 무엇인가?

- 부동산투자와 주식투자는 서로 어떻게 다른가? 생각나는 대로 차이점을 열거해보자.

- 최근 들어 부동산투자 분야에서 자주 언급되는 리츠(REITs)가 어떤 것인지, 정확히 알고 있는가?

- 부동산을 매입하여 소유하는 것과 월세로 임대하는 것, 이 둘 중 어느 편이 유리한지 계산해본 적이 있는가?

- 기업의 배당이란 무엇이며, 배당률은 어떻게 구하는 비율인가? 배당이 많거나 적다는 것은 기업에게 (그리고 투자자에게) 어떤 의미를 갖는가?

- 기업지배구조라는 용어가 언론에 자주 등장하는데, 그 의미를 알고 있는가? 기업 운영, 노사관계, 사회 정의, 부의 대물림 같은 측면에서 기업지배구조가 자주 논란의 대상이 되는데 나는 얼마나 많이 알고 있는가?

- 한 기업의 시가총액은 무엇을 의미하는가? 시가총액은 어떻게 계산할 수 있는가? 한국 시장 전체의 시가총액은 얼마나 될까?

- 금융기관에는 크게 어떤 종류의 회사들이 있는가? 예를 들어 일반인들이 잘 알고 있는 은행 이외에 어떤 형태의 금융기관들이 있는가?

- 언론 기사에서 종종 보게 되는 IB(Investment Bank), 즉, 투자은행은 우리가 알고 있는 일반 은행과 어떻게 다른가?

- "은행이 망하면 내 예금 금액 중 5,000만 원까지 보장되지만, 내가 돈을 맡긴 자산운용사가 망하면 내 투자 재산은 법으로 보호

받을 수 없다." 이렇게 말한다면, 옳은 말인가, 틀린 말인가?

- 증권회사와 자산운용회사의 차이는 무엇일까? 제2금융권이라는 용어는 정확히 무슨 뜻일까?

- 보험에는 크게 나눠서 어떤 종류의 보험이 있는가? 보험이라는 것은 정말 가입할 만한 가치가 있는 것일까? 나는 어떤 보험에 들어야 할 필요가 있는지 세심하게 따져본 적이 있는가?

- 어떤 종류의 보험이든 내가 가입하고 있다면, 나는 그 보험의 내용을 잘 알고 있는가? 혹은 대충이라도 이해하고 있는가?

- 나의 경우, 노후를 준비하려면 과연 어느 정도의 돈이 필요할까? 나는 이것을 직접 계산해본 적이 있는가? 혹은 전문가에게 그 계산을 한 번이라도 의뢰해본 적이 있는가?

- 퇴직연금에는 DC형과 DB형이 있다고 하는데, 이 둘 사이에는

정확히 무슨 차이가 있을까? 그리고 나에게는 둘 중 어느 쪽이 더 유리할까?

▶ 나는 우리나라에서 시행되고 있는 연금저축펀드 제도를 잘 이해하고 있는가? 이 제도의 활용은 어떤 식으로 노후준비에 도움을 줄 수 있는가?

▶ 금리 또는 이자(율)는 정확히 무엇을 가리키는가? 이자율이 오르면 채권 가격에는 어떤 식으로 영향을 미치는가?

▶ 기준금리는 어떤 금리를 가리키는 용어인가? 마이너스 금리는 어떤 의미이며, 어떤 경제 상황에서 마이너스 금리가 생길 수 있는가?

▶ 실질금리와 명목금리는 각각 어떤 뜻이며, 그 둘 사이의 차이는 무엇인가?

- 복리라는 개념을 나는 정확하게 이해하고 있는가? 그것은 자산의 증식에 어떤 식으로 기여하는가?

- 가령 100원으로 시작해서 매일 금액이 두 배씩 올라간다고 가정할 때, 한 달 후에는 금액이 얼마가 될지 계산할 수 있는가?

- 인플레이션과 디플레이션은 정확히 어떤 뜻인가? 이 둘과 전반적인 경제 상황은 서로 어떻게 영향을 미치게 될까?

- 한 국가의 총생산량을 가늠할 때 사용하는 GNP와 GDP의 차이점은 무엇인가?

- Trader(트레이더)와 Investor(투자자)의 차이를 아는가? 나는 둘 중 어느 쪽에 속하는가?

- S&P500, 다우지수, NASDAQ, FANG, BBIG7 같은 용어의 의미를 알고 있는가?

- ROI와 ROE는 각각 무엇을 나타내는지 정확하게 설명할 수 있는가?

- 기업의 재무 건전성을 나타내는 여러 지표 가운데 하나인 이자보상배율(Interest Coverage Ratio)이 무엇인지 정확히 아는가?

- 배당률(Dividend yield)이 무엇인지 아는가?

- 어느 회사에 현금이 너무 많으면 그 회사의 ROE에 어떤 영향을 끼칠까?

- 부채비율(Debt/Equity Ratio)이 의미하는 것은 무엇인가?

# 7 금융문맹, 어떻게 벗어날까?

## 금융문맹에서 벗어나는 지름길

금융문맹으로부터 탈출하는 방법을 찾기 전에, 우선 금융문맹에서 벗어나면 어떤 점이 좋아지는지부터 살펴보는 게 어떨까?

첫 번째, 삶의 희망이 생긴다. 금융 지식이 없었거나 부족했던 사람들이 금융문맹에서 벗어나게 되면, 매일 중요한 결정을 내릴 때 남의 의견에 무조건 의존할 필요가 없어진다. 남에게 의존하던 삶이 자립형으로 변하게 된다. 예전과는 달리 자기 삶에 대해서 확고한 자신감을 얻게 되는 것이다. 금융 지식을 얻게 된 후 실제로 날 찾아와 감사를 표하는 사람들이 많았다. 그들은 이렇게 토로했다. “삶의 희망을 느꼈어요.”

두 번째, 부자가 되는 것을 실감한다. 금융 지식의 결핍은 대대로 가난을 물려준다. 금융문맹에서 벗어난 사람들은 매일매일 부자로 변해가고 있음을 실감한다. 부자처럼 보이려고 아등바등했던 라이프스타일에서 실제 부자가 되어가는 라이프스타일을 택했기 때문이다.

세 번째, 온 집안이 행복해진다. 돈에 관하여 그릇된 생각을 하거나 혹은 돈이 일하게 만드는 것에 익숙하지 않은 사람들은 항상 돈에 대한 불안감 혹은 적대감을 느끼지만, 돈으로부터 자유로운 사람들은 그러한 걱정에서 해방될 수 있다. 즉 경제적 자유를 통해 행복을 느낄 수 있다.

그 밖에도 금융문맹에서 벗어나면 삶의 질이 전반적으로 나아질 수밖에 없다. 이러한 사람들이 많아질수록 사회 전체가 행복해지고, 더 나아가 대한민국의 국가경쟁력 상승으로 이어진다.

그렇다면, 어떻게 해야 금융문맹에서 벗어날 수 있을까?

그다지 어려운 일은 아니다. 얼핏 난해하게 보이는 경제용어라든지 경제학 개념에서 비롯되는 막막한 어려움을 극복하기는 차라리 별로 어렵지 않다. 어느 정도의 노력으로 극복할 수 있다. 책으로, 온라인 검색으로, 다양한 경제 관련 유튜브 방송으로, 부족했던 금융 지식을 채워 문맹 상태를 벗어날 수 있다.

금융문맹으로부터의 탈출을 위해 불가피한 두 번째 방법이 바로 라이프스타일의 변화다. 물론 과거의 라이프스타일을 벗어던진다는 것은 상당히 어려운 노릇이다. 그렇지만 금융문맹에서 벗어나려면 반드시 성취해야 한다. 라이프스타일의 변화야말로 금융문맹 극복에 훨씬 더 효과적이고 직접적이기 때문이다.

사교육비를 끊을 수 있는 용기, 위험을 즐기고 창업을 원하는 젊은이들의 열정, 브랜드네임과 명품 백의 마케팅에 속지 않는 현명함, 매일매일

턱없이 비싼 커피를 거부할 수 있는 의지. 이런 것들이 금융문맹에서 벗어나는 지름길이요, 부자 되는 길을 열어줄 라이프스타일의 혁명이다.

한국은 엄청난 잠재력을 품고 있는 나라다. 앞으로 한국의 미래는 금융문맹률이 얼마나 낮아지느냐에 달려 있다고 해도 과언이 아니다.

# 존 리의 전 국민 부자 만들기

Q 한국의 경제는 희망이 없다고 하는데, 주식에 투자해도 될까요?

최근 들어 특히 많이 받는 질문이네요. 그런데 이런 질문은 우리나라를 너무 모르고 하는 소리입니다. 외국에서 살다 온 제 관점에서 보면 우리나라같이 경쟁력 있는 나라가 없는데, 주변에서는 다들 희망이 없다고 이야기해요. '대학교 졸업했는데 취직은 잘 안 되고, 뭐 이런 나라가 다 있어?' 이런 식으로만 생각하죠. 잘못된 교육의 폐해입니다. 지금부터라도 잘못된 교육과 부정적인 생각을 바꿔야 해요.

오히려 우리나라 주식시장은 웬만한 다른 나라들보다 훨씬 매력적입니다. 이 매력적인 시장을 어렵게 만들고 침체하게 만든 당사자는 다름 아닌 우리 국민 스스로입니다. 우리나라에서는 다들 주식투자는 하면 안 된다고 말해요. 그렇다 보니 주식 가격이 다른 나라에 비해서 싼 편이죠. 왜냐고요? 주식투자를 하는 사람이 적다 보니 주식 가격이 그만큼 저렴한 거죠.

대한민국의 펀더멘털이 안 좋아서가 아닙니다. 단지 사람들의 인식이 이런 상황을 만든 거예요. 따라서 투자자 관점에서 보면, 지금 우리나라는 정말 매력적인 시장이에요. 주식투자를 당연시하는 국민이 늘어나고 정부가 기업의 투명성을 높이는 노력을 게을리하지 않는다면, 국내 기업들의 가치는 향상하게 되고 보다 많은 국민이 혜택을 보게 될 것이며 국가경쟁력은 더 튼튼해질 수밖에 없는 선순환이 이루어집니다.

# 제2부

# 금융분뱅 탈출과 주식투자

# 1 금융문맹 탈출은 주식투자와 맞닿아 있다

## 돈이 나를 위해 일하게 하라

*"꼭 주식투자를 해야 금융문맹을 탈출할 수 있다는 말인가요?"*
*"주식이 아니더라도 부자가 되기 위한 투자 수단은 너무나 많지 않은가요?"*
*"우리 삼촌은 주식투자를 하지 않았는데도 엄청난 부자인데요?"*

경제적으로 성공한 사람들조차 주식투자에 부정적인 이들이 의외로 많다. 하지만 대화를 이어나가다 보면, 사업으로 성공한 이들도 사실은 이미 주식을 소유하고 있다는 점을 인지하지 못하는 것 같다. 자신의 사업체를 가진 사람들은 본인들이 이미 주식을 소유하고 있는 것과 마찬가지니까 말이다. 다만 상장기업이 아닐 뿐이다. 즉, 그는 기업을 소유함으로써 이미 '돈이 나를 위해 일하도록' 만들어놓은 것이다. 금융문맹 탈출은 내가 돈을 위해 일하는 것이 아니고 돈이 나를 위해 일해야 한다는 사실을 깨닫는 것부터 시작된다.

돈이 가장 열심히 일하게 하는 대표적인 방법이 주식에 대한 투자다. 주식은 확장성이 가장 높기 때문에, 주식투자를 가장 먼저 권하는 것은 당연하다. 사람들은 해외에 여행을 가서 한국 기업이 좋은 평판을 얻고 현지에서 선전하는 것을 보면 뭉클하고 자부심이 생긴다고들 이야기한다. 하지만 막상 그런 기업들의 주식을 사는 것은 좋은 일이 아니라고, 혹은 위험한 짓이라고 생각한다. 신기하지 않은가?

## 주식투자는 회사와 동업하는 것
## (Buy companies, not just shares.)

"내가 10년 전에 어떤 주식을 샀는데, 지금 마이너스 60%야."

이런 얘기를 하는 사람이 있다. 있을 수 있는 일이다. 아무 주식이나 매입해서 무조건 오래 가지고 있다고만 해서 가치가 반드시 올라가는 것은 아니다. 무엇보다 비즈니스의 확장성이 있고 경영진이 훌륭한 좋은 기업의 주식이어야 하고, 미리 충분한 연구와 조사를 통해 장기적인 우량 기업으로 판단되는 종목을 선택해야 한다. 내가 기업에 투자할 때, 선택하는 기준은 어렵지 않다. 흔히 있을 수 있는 간단한 예를 들어보자. 당신이 친구랑 같이 투자해서 커피숍을 차린다고 가정하자. 이때 무엇이 제일 중요할까? 서로를 향한 신뢰감이다.

주식을 취득하는 것은 그 회사와 동업하는 것과 똑같은 행위다. 주식을 산다는 것은 종이를 사는 게 아니라 회사의 일부를 취득하는 것이다. 그것은 자본가가 될 수 있는 첫걸음이다. 마음에 쏙 드는 회사가 있는데 창업의 어려움도 겪지 않고서 그 회사의 주인이 될 수 있다니, 상상만 해도 엄청난 일이 아닐까?

주식에 투자하는 것은 동업자를 구하는 것과 비슷하다. 투자 대상 기업에 대한 지식을 좀 더 넓힌 다음에 주식을 매입하는 것은 그 회사와 동업하기 위함이라는 것을 깨달아야 한다.

"최근 주식투자를 시작했는데, 그새 20%나 벌었어요. 역시 주식투자 하기를 잘했죠?"

물론 주식에 투자해서 이익을 보는 것은 손해를 입은 것보다야 좋은 일이겠지만, 이건 주식투자의 본질이 아니다. 주식투자는 '수익률 게임'이 아니기 때문이다. 10%나 20% 같은 수익률 달성을 주식투자의 목적으로 삼으면 안 된다. 주식투자란 그저 단기적인 수익을 올리는 것이 아니라, 장기적으로 10배, 20배의 가치를 창출하기 위한 투자 행위다. 다시 말해서 주식투자의 본질은 좋은 기업에 오랫동안 투자하는 것이고, 그렇게 되면 수익률은 저절로 따라오게 되어 있다. 순서가 뒤바뀌면 실패할 확률이 커진다.

## 부자는 어떤 사람인가?

사람들은 사실은 돈을 좋아하면서,
겉으로는 싫어한다고 얘기해요.
돈이 없어도 괜찮다고 하죠.
수근수근
TV에 나오는 힐링 프로그램들을 보면 '돈이 없어도 괜찮아, 걱정하지 마.'라고 이야기하는데, 다 잘못된 말이죠. 돈이 없으면 걱정해야 합니다.
돈이
인생의 전부는
아니잖아요!

부자가 되려면 똑똑해져야 합니다.
'내가 부자가 되면 어떨까?' 이런
생각을 막연하게 하지 말고,
구체적으로 실행해야 해요.
부자가 되려면
일단 계획표부터!
그럼, 부자는 어떤 사람일까요?
돈 많은 사람이요!
돈을 관리할 줄
아는 사람이요!
돈 걱정 없는 사람이요!

기업체를 소유한 사람, 그렇죠?
부자라면
나 정도는 되어야지!
'나, 알리바바의
마윈 회장'
기업체를 소유한 사람들은
왜 부자가 될까요?
월급을 많이 받아서 아닐까요?

그들은 주식을 가지고 있기 때문이에요. 다시 말하면, 회사의 생산 수단을 주식을 통해 소유하고 있기 때문인 거죠. 부자들 보면 보통 기업체를 가지고 있는 사람들이잖아요.
주식
'주식회사'는 주식을 발행해서 설립된 회사! 그 말은 곧, 주식을 많이 가지고 있으면 부자라는 거!
그럼, 여러분은 뭘 해야 할까요?
….

주식을 소유하는 데에는
두 가지 방법이 있습니다. 주식시장에서
주식을 매입하거나 창업을 하는 것입니다.
작은 회사부터
키워야지!
우리나라에서는 취직만이
유일한 선택이라고 가르칩니다. 부자가
되기 힘든 이유이기도 하고, 또 그 때문에
새로운 기업이 탄생하지 못합니다.

## 존 리의 전 국민 부자 만들기

Q 주식은 언젠가는 팔아야 하는 것이 아닌가요?

그렇죠. 주식을 팔아야 하는 몇 가지 경우가 있어요. 다만 주식을 파는 것은 예외조항입니다. 그런 예외는 어떤 경우일까요? 우선, 회사의 가치에 비해서 주가가 지나치게 올랐을 때. 둘째, 꼭 사고 싶은 다른 좋은 주식이 생겼을 때. 셋째, 세상이 변해서 내가 매입한 주식의 해당 기업이 더는 성장하기 어려울 때 등입니다. 사람들은 대부분 주식을 사자마자 언제 팔까에 고민하고 안절부절못합니다. 20% 오르면 얼른 팔아서 이익을 실현하고 20% 떨어지면 재빨리 손절매하는 것을 주식투자라고 생각하는 사람들은 주식투자를 마치 카지노에 가는 것과 같다고 생각하는 사람들입니다.

Q 회사의 재무제표를 말씀하셨는데 재무 상태를 살피는 게 중요한 거잖아요. 어떤 부분을 살펴야 할까요?

우선 재무제표가 특별히 어렵다고 생각하는 편견을 버려야 합니다. 우리가 개인사업을 하는 것과 크게 다르지 않아요. 회사의 빚이 얼마인지, 그 빚 때문에 회사에 문제가 생길 수 있을지, 매출액이 증가하고 있는지 줄어들고 있는지, 이익이 줄어들고 있는지 늘어나고 있는지, 마진이 올라가고 있는지 등을 확인하는 거예요. 예를 들어 어떤 회사의 빚이 늘어나고 매출액이나 이익이 줄어들고 있다면, 그 회사의 장래가 밝지 않을 가능성이 있죠. 물론 언제나 예외는 있습니다만. 그러니까, 과거 5년 동안의 매출 증가율, 마진율, 부채 등이 어떻게 변해왔는지를 우선 체크해보시기 바랍니다.

# 2 아직 주식투자를 망설이는가?

## 주식투자, 복리의 마법을 누리려면 하루라도 일찍 사고 하루라도 늦게 팔아라

한국은 일본과 비슷하게 유난히 주식투자에 부정적이다. 주식에 투자했다가 망한 사람은 주위에 수두룩하지만, 부자가 됐다는 사람을 보기 힘들다고들 한다. 각종 매스컴도 한몫한다. 매일매일의 주식 가격 변동을 놓고 야단법석인가 하면, 국민연금 등의 수익률에 대해서도 조금만 부진하면 큰일이 난 것처럼 기사가 범람한다. 그 결과 대다수 국민은 주식시장에 투자하는 것을 외면하고 투자하는 사람들을 의아하게 쳐다본다. 각종 청문회나 정치인들의 토론회에 빠짐없이 등장하는 것이 주식투자에 관한 논란이다. 주식투자가 마치 크게 잘못된 것처럼 인식되는 것이 한국의 현실이다.

한국은행의 최근 자료에 따르면, 우리나라 사람들이 금융자산에 투자할 때 가장 선호하는 대상은 은행 예금이 91.5%로 단연 앞서 있고, 주식이 겨우 4.4%, 개인연금 2.5% 등으로 뒤를 잇는다. 또 다른 증권사가 조사한 결과에 의하면, 우리나라 '중산층'이 보유하고 있는 금융자산 가운데 가장 많은 것도 역시 예금과 적금(48.7%)이라고 한다. 이런 식으로 주식투자를 기피하고 있으니 노후준비가 잘 될 리가 없다. 은퇴를 앞둔 가구 중에서 노후준비가 충분히 이루어졌다고 응답한 가구가 겨우 16.1%에 불과했다는 통계치도 놀랄 일이 아니다.

대한민국은 자본주의를 표방하는 국가다. 다시 말하면 노동과 자본이 골고루 일해야 국가경쟁력이 극대화할 수 있는 것이다. 노동에만 의지하면 당연히 한계에 부딪힌다. 사람의 육체는 시간이 지날수록 쇠

약할 수밖에 없다. 나의 육체가 강건할 때 얻은 소득의 일부(즉 나의 자본)를 일하게 하지 않으면, 육체가 쇠약해지는 시점에서부터 노후가 힘들게 된다. 자본이 가장 열심히 일하게 하는 방법이 기업에 투자하는 것이고, 기업에 대한 투자 중에 가장 보편적이고 편리한 방법이 주식을 사는 것이다. 처음에 취직하는 사람은 노동력에만 의지하지만, 주식에 꾸준하게 투자하기 시작하면서 노동과 자본이 같이 일하게 되고, 시간이 지남에 따라 자본으로 인해 발생하는 소득의 비중이 노동으로 벌어들이는 소득 비중보다 점점 커지게 된다. 미국의 많은 기업이 직원들에게 주식을 나누어주는 제도를 시행하는데, 이는 '노동자이면서 동시에 자본가가 되는 길'을 열어주기 위함이다. 주식을 소유하는 사람은 누군가가 나의 노후를 위해 밤낮없이 일한다는 사실을 알게 된다. 주식을 소유만 해도 어느 정도 노후준비가 된다면, 주식을 소유하지 않은 사람은 얼마나 위험한 삶을 살고 있는가.

## 투자하기 좋은 기업의 조건

내가 생각하는 투자하기 좋은 기업은, 부가가치를 현저히 창출할 수 있거나 진입장벽이 높은 기업이다.

아무리 좋은 기업을 선택해도, 비슷한 기업이 여기저기 나타나면 돈을 벌기가 어렵다. 보유하고 있는 경쟁력이 특별하다든가, 강력한 브랜드 인지도를 누리고 있다든가 등의 이유로 경쟁사들이 진입하기 힘든 기업의 투자가치는 높아진다. 예컨대 오래전에 코카콜라 주식을 샀다면

그 브랜드 네임이 워낙 강하다 보니, 오랫동안 보유하는 경우엔 큰돈을 벌 수 있었다. 맥도날드의 설립자 레이 크록은 맥도날드의 원래 주인으로부터 '맥도날드'라는 이름 하나에 백만 달러를 주고 사들였다. 이는 맥도날드의 브랜드 가치를 알아보고 길게 내다본 것이었다. 투자할 때는 그런 가치를 알아볼 수 있는 능력을 키우는 것이 중요하다.

그렇기에 아이들과 주식에 관해 이야기를 나누는 것이 대단히 중요하다. 아이들이 경제독립을 위한 첫걸음을 디딜 수 있도록 도와주는 것이다. 게임을 즐겨 하는 아이들은 그 게임 회사의 주식을 취득함으로써 그 회사가 어떻게 부를 창출하는지, 자연스럽게 알게 된다. 1만 원을 주고 산 주식이 일시적으로 5천 원으로 떨어져 손해를 보더라도, 장기투자를 생각하면 마음의 여유가 생긴다. 그 아이가 열 살 때 주식을 산다면, 서른 살에 이르러서는 무려 20년의 장기투자를 실행한 셈이 된다.

미국에서는 아이들한테 장난감 대신 그 장난감을 만드는 회사의 주식을 사주는 일이 자연스럽게 이루어진다. 그렇게 해놓으면 앞으로 아이가 대학교 갈 때쯤에는 큰돈이 되어 있을 테니까, 주식 가격이

10~20% 떨어졌다고 해서 크게 걱정할 필요가 없다. 이 회사가 계속 돈을 잘 벌고 있는지, 기업의 펀더멘털만 체크하면 된다. 어차피 여유자금으로 했으니 느긋한 마음으로 기다릴 수 있다. 주식투자에서 장기투자 말고는 제대로 돈 벌 방법이 없다. 주식 가격 맞히기란 어쩌다 한두 번은 성공하지만 계속 맞힐 수는 없다. 카지노에 가면 운이 좋은 날은 돈을 따지만, 매일 하면 집도 팔아야 할 정도로 빚을 지지 않겠는가. 주식도 마찬가지여서, 매일 차트만 보고 투자하는 사람은 절대 성공할 수 없다.

앞서 주식투자는 기업가와 동업을 하는 것이라고 했다. 과연 동업할 만한 기업가인지를 판단하는 기준에는 여러 가지가 있을 것이다. 무엇보다 대주주의 과거 업적을 평가하고, 경영진이 주주의 이익 극대화를 위해 어떤 일을 했는지 등을 볼 필요가 있다. 시간이 지나 주주들의 의식 수준이 올라간다면, 한국의 열악한 기업지배구조는 차츰 개선될 것이다. 지금은 대한민국 국민의 10% 정도만 주식투자를 하고, 나머지 90%는 별로 관심이 없다. 하지만 만약 미국처럼 국민 대부분이 주식투자를 당연시하게 된다면, 정책 개선에도 훨씬 더 효과가 있을 것이다. 80%의 국민이 요구한다면 지금보다는 훨씬 더 효력을 발휘하지 않겠는가.

## 저평가된 기업을 찾기 위한 핵심 지표

장기적으로 투자했을 때, 그 대상으로 주가가 크게 성장할 기업을 어떻게 찾을까? 구체적으로 뭘 보고 그 기업이 저평가되고 있는지, 고평가를 받고 있는지 판단할 수 있을까?

이것을 제대로 판단하기 위해 사람들이 생각하는 것처럼 전문가가 될 필요는 없다. 특히 복잡한 그래프를 쳐다봐야 할 필요는 더더욱 없다. 주식에 투자하는 것은 그 기업과 동업하는 것과 마찬가지라고 여러 번 강조한 바 있다. 따라서 주식을 선택하는 일은 동업자를 구하는 과정과 흡사하다. 동업자를 구할 때 가장 중요한 것이 무엇일까. 동업자의 자질, 도덕성이 가장 중요하지 않을까? 투자 대상 기업을 선택하는 것도 마찬가지다. 경영진의 전문성, 자질, 도덕성 등이 가장 중요한 기준이 되어야 한다.

경영진의 자질을 어떻게 파악하고 평가할까? 아마 막연하게 느끼는 독자들도 있을 테지만, 가장 기본적인 방법은 기업의 영업보고서를 읽어보는 것이다. 모든 상장회사는 금융감독원에 분기마다 경영실적 등 많은 기업정보를 보고하게 되어 있고, 이는 누구나 쉽게 구해 볼 수 있다. 영업보고서로써도 미처 파악하지 못한 사항들은 인터넷을 통해서 얼마든지 구할 수 있다.

경영진을 파악한 후에는 기업가치 평가를 위해 흔히 사용되는 몇 개의 지표만으로 간단히 분석하여 판단할 수 있다. 아래에 열거한 그 지표들은 금융감독원 홈페이지나 해당 기업의 홈페이지에서 제공하고 있으므로 쉽게 구해 볼 수 있다.

· PER

먼저 Price Earning Ratio의 준말인 PER, 즉, '주가수익비율'을 알아보자. PER은 기업의 주식 가격을 주당순이익으로 나눈 값으로, 해당 기업의 성장성과 함께 그 기업의 가치가 상대적으로 고평가됐는지를 가늠할 수 있는 지표다. 일반적으로 기업이 투자한 돈을 얼마나 짧은 시간에 회수할 수 있는지 알려준다.

예를 들어 PER이 1이라고 가정하면, 이 기업이 현재와 비슷한 이익을 꾸준히 낸다고 가정했을 때, 1년 만에 원금을 회수할 수 있다는 얘기다. 만약 PER가 10이라면 그 기업에 투자했을 때 10년이면 투자금을 회수할 수 있다. 만약 PER이 10인 기업의 수익이 두 배로 늘었는데 주식 가격은 오르지 않았다면, 해당 기업의 PER은 5로 낮아진다. PER가 낮아진다는 것은 수익이 빠르게 성장하고 있다는 말이므로, 투자금도 빨리 회수할 수 있다는 뜻이다.

물론 이 PER이라는 지표를 '절대적인' 기준으로 사용해선 안 된다. PER이 높다는 것은 고평가 되었다는 의미일 수도 있으나, 시장에서 해당기업의 성장성을 높게 평가한다는 의미이기도 하기 때문이다. 예를 들어 미래 수익성이 높은 성장 산업이라면 PER이 높더라도 투자하는 것이 좋을 수 있다. 두 가지 주식의 PER을 마구잡이로 비교해서 어느 쪽이 높다, 높으니까 고평가되었다, 하는 식으로 이해하면 안 된다는 뜻이다. 어떤 주식이 고평가 됐는지, 저평가됐는지를 보기 위해서 PER을 활용할 때는 합당한 비교 대상과 견주어보아야만 신뢰할 수 있는 판단 기준이 된다. 주로 같은 업종, 같은 규모, 비슷한 환경에 처한 기업들의 PER를 놓고 비교한다. 당연히 PER이 낮은 기업일수록 저평가된 기업이고, 투자하기 좋은 기업이다.

### · PDR

PDR은 최근에 사용되기 시작한 지표로서 Price to Dream Ratio, 다시 말해 '꿈 대비 주가 비율' 혹은 '주당 미래 전망' 정도로 이해할 수 있다. 가령 영업이익이 몇 년째 적자를 벗어나지 못하고 부채도 어마어마하게 많은 기업의 주가가 하늘 높은 줄 모르고 계속해서 상승하는 경우를 생각해보면, 왜 PDR이란 지표가 필요한지 이해하기 쉬울 것이다. 아무리 주가가 높아 보여도, 해당 기업의 미래 전망이 탁월하다면 그런 가격조차 그리 놀랍지 않은 수준으로 보일 것 아닌가.

PER로 판단할 때는 주가가 상식을 벗어난 고공행진을 하고 있다 하더라도, '꿈'이란 요소를 넣어 PDR을 고려하면 고개가 끄덕여지는 기업의 전형적인 예로 미국의 전기자동차 제조사인 테슬라를 들 수 있을 것이다. 한국에서는 투자자들의 지대한 관심 속에 2020년 6월 상장한 SK바이오팜도 이와 비슷한 경우여서, 재무제표 수치나 PER 같은 지표만으로는 납득할 수 없는 주가가 PDR을 감안했을 때 비로소 이해될 것이다.

반대로 영업이익도 넉넉히 창출되고 재무 상태도 견실하다고 인정되는 기업의 주식이 상당히 저렴한 가격에 거래되고 있다고 치자. 이 경우에도 PDR이라는 지표를 고려하지 않고서 무작정 저평가되었다고 말할 수는 없다. 우수한 통계 수치에도 불구하고 미래의 성장 전망이 극히 나쁘다면, 이 기업은 오히려 고평가되고 있는지도 모르기 때문이다.

PDR은 특히 경제 환경의 변화가 급격하고 주도권을 잡는 성장 산업이 빠르게 바뀌는 현대 사회에서 갈수록 그 중요성이 커질 것으로 보인다. '꿈의 기업'들이 랠리를 시작한 데는 나름의 이유가 있을 것이다.

### · PBR

기업의 저평가를 판단할 때 활용되는 또 다른 지표로 PBR(Price to Book Value Ratio)이 있다. 우리말로 '주가순자산비율'이라고 부르는 PBR은 주식 가격을 주당순자산으로 나눈 값이다. 즉, 주가가 순자산(회사의 전체 자산에서 부채를 뺀 값)에 비해 1주당 몇 배로 거래되고 있는지를 측정하는 지표다.

수익성을 기준으로 현재 주식이 싼지 비싼지를 보여주는 것이 PER이라면, 기업이 보유한 자산에 비해서 현재 주식이 싼지 비싼지 판단하는 것이 바로 PBR이라고 할 수 있다.

예를 들어보자. 어떤 기업의 총자산이 100억 원이고 부채가 50억 원, 발행주식 수가 1,000만 주라면 주당순자산은 (100억−50억)÷1,000만=500원이 된다. 그런데 이 기업의 주식이 5,000원에 거래되고 있다면 PBR은 5,000÷500=10이다. 만일 400원에 거래되고 있다면 PBR은 400÷500=0.8이 된다. 이 수치가 1 이상이면 주식 가격이 순자산보다 높은 것이고, 1 미만일 경우 주식 가격이 순자산보다 싼 경우다. 따라서 대체로 성장이 둔화된 기업의 PBR은 낮고 성장이 높은 기업의 PBR은 높은 수준이다.

### · EV/EBITDA

PER은 유용하지만, 거기엔 명확한 한계가 있다. 기업의 자산이 고려되어 있지 않고, 감가상각 등 실제 현금으로 들어오는 이익과 장부상 이익의 차이를 반영하지 못하는 등의 결함이 있기 때문이다. 특히 실제 이익과 장부상 이익의 차이는 기업마다 감가상각의 규모와 방식이 다르기 때문인데, 이를 보완할 수 있는 지표가 바로 EV/EBITDA다.

EBITDA는 보통 '세전 · 이자지급전 이익' 혹은 '법인세 이자 감가상각비 차감 전 영업이익'을 말한다. 쉽게 말해서, 회사의 총이익에다 감가상각비와 세금을 더한 것이다. 흔히 쓰이는 지표인 EV/EBITDA는 회사의 가치를 EBITDA로 나눈 것으로, 주식 가격이 적정한지 판단하는 데 매우 유용한 지표다. 여기서 EV(Enterprise Value)는 시가총액에 그 회사의 순현금 혹은 현금성 자산을 제외하고 부채를 더한 값이다.

기업가치를 계산할 때 왜 시가총액에서 현금을 빼고 부채를 더할까? 이유는 간단하다. 어떤 기업을 인수하는 M&A를 진행한다고 가정해보자. 인수하는 기업은 현금을 즉시 돌려받을 수 있으므로 실제 지불하는 기업가치는 시가총액에서 현금을 뺀 금액이어야 맞는다. 마찬가지로 부채가 있는 기업을 인수하는 경우에는 부채도 같이 떠안게 되기 때문에, 실제로 지불하는 시가총액에다 부채만큼 더한 금액을 기업가치로 인정해주었다는 뜻이다. 보통 EV/EBITDA가 낮을수록 인수가격이 부담이 없다는 뜻으로 해석할 수 있다.

PER, EV/EBITDA, PBR, 모두 그저 간단한 계산에 의한 값에 불과하지만, 해당 기업의 주식 가격이 높은지 낮은지를 판단하는 좋은 지표가 된다. 이보다 더 특별한 수치나 요술방망이 같은 방법이 있는 것도 아니다. 또 같은 기업의 같은 수치를 놓고서도 전문가들 사이에서 의견이 갈리는 것은 그 기업의 미래에 대한 예측과 전망이 다르기 때문이다.

주식을 매매하기 전에 반드시 위의 지표들은 숙지하고 매매할 수 있도록 하자. 하루빨리 주식투자를 시작하는 것도 좋지만, 제대로 된 기업을 고르는 것이 더 중요하다. 이런 기초적인 준비조차 되어 있지 않은 상태에서 주식투자에 덤벼들면, 오랫동안 투자를 유지하기 힘들다.

예를 들어, 내가 산 기업의 주식이 갑자기 떨어져도 PER이 업종 평균 대비 낮은 편이고 EV/EBITDA도 낮은 값을 보여준다면, 편하게 잠을 잘 수가 있다. 하지만 이런 근거조차 없이 마냥 떨어지는 주식 가격만 보고 있으면, 버티지 못하고 팔게 된다. 기업의 펀더멘털을 판단하고 투자하게 되면 주가의 하락이 두렵지 않게 된다.

전체적으로 한국 시장을 관찰하면 PER나 PBR, EV/EBITDA가 아시아에서도 가장 낮은 수준이다. 한국 주식의 가격이 매력적인 이유이기도 하다.

· PEG

통상 PER은 주당순이익을 기준으로 평가하는 지표지만, 주당순이익이 보통 당해 연도나 기껏해야 1~2년 후의 지표를 사용하기 때문에 장기적 예측이 어렵다. 이때 PER을 (보통 5년간의) 이익증가율로 나눈 PEG(Price/Earnings-to-Growth)를 지표로 사용한다. 이익성장율이 높으면 PEG 값은 낮아지고 이익증가율이 낮으면 PEG 값은 높아진다. PEG 값이 낮다는 것은 향후 이익성장율이 높은 회사가 저평가되어 있다는 의미이므로 투자해도 좋다는 시그널이 될 수 있다.

## 주식과 펀드의 차이

주식과 펀드의
차이가 뭐예요?
주식은 쉽게 얘기해서 어떤 회사의 소유권입니다.
예를 들어서 제가 커피숍을 차렸다고 해볼까요?
그런데 커피숍이 정말 잘 되어서 1호점,
2호점, 3호점까지 내고 싶어집니다.
3호점까지
내야지~!
3
2
1

그런데 자금이 없죠. 그 자금을
조달하는 방법은 두 가지가 있습니다.
하나는 은행에 가서 빚을 내는 거죠.
또 하나는 뭘까요?
어쩌다 빚쟁이가
되어버렸네…!
설마… 주식은
아니겠죠?
그 설마가 정답입니다.
주식을 발행해서 많은 사람이 그 주식을
사게 해, 모은 자금을 가지고 커피숍을
더 늘릴 수가 있는 거죠.
주식
주식
주식

주식을 소유한 사람은
결국 기업을 소유하게 되는 거죠.
그 회사의 규모가 커져서 상장하게 되면
일반투자자들이 시장에서
살 수 있게 됩니다.
그래서 내가 주식을 산다는 것은,
그 회사의 소유권을 산다는 이야기입니다.
그 회사가 잘된다면 나도 같이
그 부를 누릴 수 있다는 거죠.
그럼 펀드는요?

그런데 주식의 종류가 너무 많잖아요? 우리나라만 해도 코스피와 코스닥을 합치면 약 2,550개 회사가(주식이) 있습니다.
그 많은 회사 중에서 어떤 주식이 좋은지 고르는 게 쉽지 않겠죠?
으아~ 도저히 못 고르겠어!
그래서 펀드가 나오게 된 겁니다.
전문가들이 주식에 대해 어려움을 갖고 있는 여러 투자가들의 돈을 모아서 대신 투자해주는 거죠.
내가 바로 전문가!

수십 개 종목을 그 돈을 모아서 투자하는 게 펀드입니다.
그래서 일 년에 투자자산의 1% 정도를 수수료로 내면
수고를 덜 수가 있는 거죠.
펀드 매니저
저 정도
수수료쯤이야!
덥석
펀드에 투자하게 되면
어떤 주식을 살 것인가,
또 언제 팔고 살 것인가 하는
고민을 할 필요가 없어요.

제 개인적으로는 매일 1만 원씩 투자하고 싶은 사람, 노후 준비를 위해서 매일 일정 부분을 소비하는 것을 아껴서 투자하고 싶은 사람에게는 펀드가 좋다고 생각합니다.
질끈
커피 마실 돈 아껴서 투자하련다…!
왜냐하면 내가 1만 원을 투자하더라도 그 펀드가 갖고 있는 주식의 수십 개 종목을 저절로 분산투자하게 된다는 얘기거든요.
이제 주식과 펀드의 차이를 이해하셨나요?

## 한국인들은 왜 아직도 주식이나 펀드를 어려워할까?

나는 주식에 대한 우리나라 사람들의 잘못된 인식 등을 추상적으로만 알고 있었다. 그런데 막상 우리나라에 와서 직접 사람들을 만나고 나서는 깜짝 놀랐다. 이 정도로 금융에 대한 편견이 심할 줄은 몰랐다. 미국의 경우는 약 50%가 금융문맹이라고 한다. 그런데 우리나라에 와 보니까 100명 가운데 2명꼴로만 주식에 투자해야 한다고 말하고, 나머지는 투자 자체에 부정적이었다. 내가 예상했던 것보다 훨씬 더 심각했다.

주식투자는 하면 안 된다는 부정적인 생각을 하는 사람들이 많기 때문인지, 펀드 시장도 오랜 기간 정체 상태인 것 같다. 지금 우리나라는 주식시장이 어느 정도 커진 반면, 공모펀드 시장은 지난 10년 동안 정체 상태에 머물러 있다. 한마디로 천덕꾸러기 신세다. 펀드 시장이 이렇게 정체해온 이면을 살펴보면, 철저하게 고객으로부터 외면받고 있다는 현실이 숨어있다. 사람들이 펀드를 '어려운 것', '손해 보는 것'으로 인식한다는 얘기다. 그 이유를 알아봤더니, 크게 두 가지로 요약된다.

1) 우선 펀드 판매 채널에 문제가 적지 않다. 한국에서는 자산운용사가 아닌 증권회사나 은행에서 펀드를 구매하는 경우가 대부분이다. 이때 펀드 판매 창구에서는 상품에 대해 좀 더 장기적인 투자 방향을 설명하고 고객한테 펀드에 대해 충분한 설명을 해야 하는데 많은 펀드에 대한 지식을 다 갖출 수 없는 한계가 있다. 대부분 펀드도 단기적으로 수익률 게임을 하게 되고 펀더멘털에 의한 투자를 가로막게 된다.

펀드에 투자해본 경험이 있는 사람이라면, 펀드 판매사로부터 이런 전화를 받아봤을 것이다. "고객님, 이 펀드에 10%의 수익이 발생했으

니, 일단 매각하시고 다른 펀드로 갈아타시죠?" 지극히 잘못된 조언이다. 펀드도 주식과 마찬가지로 장기투자를 해야 하는데, 이런 판매사는 고객에게 단기투자를 권하면서 추가로 선취수수료만 챙기는 것이다. 이 펀드에서 저 펀드로 '갈아타는' 관행 때문에 고객은 결과적으로 손해를 보게 되고, 이는 펀드에 대한 불신으로 이어진다.

2) 펀드의 가장 큰 고객은 퇴직연금이다. 2019년 말 퇴직연금 적립금의 규모는 221.2조 원에 이르는 것으로 발표되었다. 퇴직연금이 보유한 이 방대한 자금의 대부분이 제도의 불합리성으로 인해 원금 보장형 상품에 머물러 있다. 초기부터 펀드에 투자해야 하는 젊은 근로자조차 잘못된 제도로 인해 그 기회를 놓치고 있다. 덕분에 우리나라 퇴직연금의 운용에서 주식 비중은 OECD 국가 중 꼴찌에 머물러 있다.

## 어떤 펀드에 투자해야 할까?

어떤 사람들은 개별 주식에 투자하는 것을 선호하고, 더러는 이것저것 귀찮기도 하고 시간도 없고 해서 펀드에 투자하는 것을 선호하기도 한다. 펀드에 투자하게 되면 주식에 투자하는 것에 비해서 수수료가 붙지만, 그것을 감수하고서라도 펀드 투자를 하고 싶어 하는 사람들도 있다. 그런데 펀드에도 종류가 엄청 많아서, 막상 고르려고 하면 막막해져서 선택이 어려울 수 있다. 어떤 펀드를 골라야 하는지, 이 펀드가 자신의 투자 철학과 맞는지, 판단하는 방법 등을 알려주고자 한다.

1) 펀드를 운용하는 자산운용사가 믿을 만한 회사인지를 먼저 살펴봐야 한다. 주식 고를 때 가장 중요한 게 그 회사의 경영진인데, 이것은 펀드도 마찬가지다. 운용하는 회사의 운용철학과 평판이 중요하고, 펀드를 운용하는 펀드매니저의 운용철학을 확인해야 한다. 그리고 펀드매니저가 여기저기 자주 옮겨 다닌 사람인지도 반드시 알아보아야 한다. 펀드의 운용자가 자꾸 바뀐다면, 그 펀드는 운용철학이 여러 번 바뀔 가능성이 높다. 그래서 한 펀드매니저가 오랜 기간 펀드를 운용할 수 있는 인프라가 되어 있는 자산운용사인지, 실질적으로 그 펀드매니저가 몇 년 동안 일했는지를 반드시 살펴야 한다.

2) 장기적으로 투자하고 있는지를 알아봐야 한다. 장기적으로 투자했는지를 알아내는 방법의 하나가 '회전율'(turnover ratio)이라는 지표를 확인하는 것이다. 회전율은 펀드매니저가 그 펀드를 운용하는 동안 얼마나 자주 샀다 팔았다 하는지를 나타내는 '빈도'다. 그래서 보통 정상적인 펀드라면 1년에 30%에서 많아야 100%의 회전율이 일반적이다. 여기서 100%라고 하는 건 쉽게 얘기해서 1년 동안 펀드 포트폴리오가 다 바뀐다는 것을 말한다. 그러니까 평균적으로 투자 기간이 '1년'이라는 얘기다. 회전율이 20%라고 하면 100을 20으로 나눈 숫자로, 평균 투자 기간이 5년 정도라는 뜻이다. 어떤 주식은 10년 가지고 있고 또 어떤 주식은 1년 가지고 있다가 팔 수도 있지만, 평균적으로 5년 정도 가지고 있다는 것이다.

어떤 펀드의 회전율이 1,000% 혹은 500%라면 펀드매니저가 주식을 자주 사고팔고 있다는 뜻이다. 걱정할 만한 요소다. 여러분이 장기투자를 믿는다고 가정하면, '내가 투자하는 펀드가 장기투자를 하고 있느냐'의 여부를 가리키는 이 회전율은 중요한 척도가 된다. 그래서 투자할 펀드를 고를 때는 회전율이 어떻게 되는지 반드시 알아야 한다.

3) 세 번째로 봐야 할 것은 '수수료'다. 개별 주식을 사면 수수료를 낼 필요가 없는데, 펀드를 사게 되면 자산운용사는 고객 대신 투자해주는 대가로 수수료를 부과한다. 수수료는 수익률에 직접 영향을 끼치기 때문에 반드시 체크할 요소다. 펀드의 성격에 따라 수수료는 달라진다. 사람의 손이 많이 들어갈수록 수수료는 높아진다. 예를 들어 비상장기업에 투자하는 펀드는 연구인력이 많이 필요하므로 높은 수수료를 부과한다. 하지만 같은 펀드라도 판매 채널에 따라 수수료가 달라지기도 한다. 비대면으로 투자하면 판매수수료와 선취수수료 등을 크게 줄일 수 있다. 펀드를 자산운용사에서 직접 사지 않고 은행이나 증권사 같은 판매처를 통해 매입하는 경우에는, 보통 추가 비용을 지불해야 한다.

4) 단기간의 수익률을 보고 판단하는 우를 범하지 말아야 한다. 펀드를 고를 때, 3개월, 6개월 정도의 단기간 수익률이 제일 높았던 것을 선택해 투자하는 사람들이 아주 많다. 하지만 6개월 동안의 수익률이 높았다 하더라도, 그다음 6개월 또한 좋을 것으로 예측할 수는 없다. 최근 3개월, 6개월 혹은 1년의 수익률을 보고 펀드를 고르는 것은 좋은 방법이 아니다. 그런데도 대부분의 은행이나 증권회사 창구에서는 단기간의

수익률을 바탕으로 펀드 추천을 하는 경우가 대부분이다. 펀드를 고를 때는 앞에서 얘기한 자산운용사의 평판과 철학, 회전율, 비용이 어떤지가 단기간의 수익률보다 훨씬 중요한 요소다.

그리고 펀드를 선택한 후에는 꾸준히 추가로 여유자금을 투자해야 한다. 다시 강조하지만, 단기간의 실적을 바탕으로 한 금융기관의 권유는 무시할 필요가 있다. 20% 벌었으니까 다른 펀드로 갈아타야 한다든가, 20% 손해 보았으니 현금으로 바꾸라는 식의 권유는 결코 바람직한 투자 방법이 아님을 명심해야 한다.

## 펀드매니저 자신은 이 펀드에 투자하고 있는가?

쉽지는 않지만, 펀드를 고를 때 반드시 알아야 할 또 한 가지가 있다. 펀드매니저나 그 자산운용사의 직원들 역시 '자신의 돈'을 그 펀드에 투자하고 있는가, 하는 요소다. 이 역시 대단히 중요하다. 이해관계가 일치하는지를 보라는 얘기다. 펀드가 잘되든 안 되든 펀드매니저와는 상관이 없는 상태라면, 펀드매니저와 고객의 이해가 일치되지 않는 것이다. 펀드매니저 자신의 재산도 그 펀드에 같이 들어가 있어야, 고객이 그 펀드를 훨씬 더 신뢰할 수 있다. 미국에 있는 자산운용사들은 대개 이 점을 당연시한다. 펀드를 살 때 펀드매니저나 그 자산운용사의 직원들이 그 펀드에 얼마나 투자하고 있는지를 꼭 물어보기 바란다.

# 3 주가, 단기간의 등락은 무시하라 : 당신이 전문가다.

## 미국 금융 시장과 한국 금융 시장

미국 주식시장에서는 401(k)를 통한 기관투자자의 비중이 높고, 개인들은 대부분 펀드에 투자한다. 그리고 투자자 보호를 위한 법이 강력해서 전 세계로부터 돈이 들어

> SEC(Securities and Exchange Commission), 즉, **증권거래위원회**는 미국 증시에서 이뤄지는 거래를 감시 감독하는 정부 직속 기관으로, 1934년에 설립되었다. SEC가 세워지기 전인 1929년 미국 증시는 '검은 목요일'과 '검은 화요일'로 불리는 주가 대폭락 사태를 경험했기 때문에, 국가가 좀 더 엄격하게 투자를 감독해야 한다는 여론이 일어났고 이에 따라 SEC가 만들어진 것이다.

오며, 감독 기관인 SEC의 역할이 굉장히 중요하다.

미국에서는 기업의 경영진이 잘못을 저질렀을 때 이에 대한 처벌이 강력하다. 우리나라는 아직 그 단계까지 가진 않았지만, 그래도 그동안 많은 발전을 이루었다. 특히 회계 쪽으로 많은 개선과 발전을 이룩했지만, 그 외 부문에서는 아직 미흡하기 때문에 주식 가격이 싼 편이다.

## 위험과 변동성 구별하기

Q : '위험'과 '변동성'은 서로 어떻게 다른가?

A : 사람들은 흔히 '위험'과 '변동성'을 혼동한다. 위험이라는 것은 어떤 주식을 매입했을 때 장기적으로 투자했음에도 주식 가격이 하락할 수 있는 것을 의미한다.

Q : 위험을 줄이는 방법은 없을까?

A : 위험을 줄일 수 있는 방법에는 크게 두 가지가 있다. 철저한 분석과

장기투자다.

투자 대상인 기업을 철저히 연구하고 장기투자를 하게 되면 투자가 잘못되는 결과를 현저히 줄일 수 있다.

Q : 그럼, 변동성은 어떤 것인가?

A : 변동성은 주가가 끊임없이 수시로 오르락내리락하는 것을 가리킨다. 내가 주식을 잠깐 가지고 있든 오래 갖고 있든, 변동성은 투자 기간에 상관없이 항상 존재한다. 왜냐하면, 단기적으로 기업의 가치가 변함이 없는데도 불구하고, 주식의 가격은 오를 때도 있고 내려갈 때도 있고 수도 없이 반복한다. 그게 바로 변동성이다.

Q : 변동성도 줄이는 방법이 있나?

A : 변동성은 위험과 달리 컨트롤할 수 없다. 아무리 노력을 해도 그 변동성을 줄일 방법은 없다. 사람들이 주식투자에 실패하는 원인 중의 하나가 위험과 변동성을 제대로 구별하지 못하기 때문이다. 변동성은 예측할 수 없고 컨트롤이 불가능함에도, 맞힐 수 있다고 착각하는 것이다. 이처럼 변동성을 맞히려고 하니까, 주식을 자주 사고팔게 되고 궁극적

으로 투자의 실패를 맛보고야 만다.

내가 늘 주식은 장기투자해야 하고, 그 회사의 펀더멘털을 봐야 한다고 강조하는 게 그런 이유다. 어떤 주식을 매매할 때 그래프에 의존하기보다는, 그 회사의 경쟁력을 판단하고 투자해야 한다는 것이다.

## 위험한 생각

주식투자는 기술이나 기교가 아니라 철학이다. 주식에 투자하는 이유는 그 회사의 장기적인 경쟁력을 판단해서 동업하는 것과 같기 때문이다. 주식을 사는 것이 아니라, 기업의 일부를 사서 동업자가 되는 것, 이게 나의 철학이다.

"We buy companies, not just shares."

주식을 산다는 건 내가 그 기업을 사는 것이지, 종이를 사는 게 아니다. 그게 바로 합리적인 투자 문화다. 그런 생각을 하는 사람이 하나둘씩 더 생기고, 퇴직연금, 연금저축도 그런 철학으로 투자한다면, 대한민국 기업들도 자금 조달 비용이 낮아지고 결과적으로 경쟁력을 갖게 되며 그런 기업에 투자한 사람들의 노후준비도 당연히 잘 될 것으로 믿는다. 이런 것이 선순환 아니겠는가.

나를 찾아와서 이런 말들을 하는 젊은이들이 많다.

이런 행동은 절대로 하지 말아야 한다. 본인이 주식 매매를 통해 돈을 벌려고 안간힘 쓰지 말고, 투자한 기업의 경영진이 돈을 벌도록 응원하면서 기다려야 한다. 주식투자 해서 부자가 된 투자자 중에서 "나는 밤새도록 주식 트레이딩 했어."라고 하는 사람은 별로 없다. 부자가 되는 비결은 기술이 아니라 인내와 철학이다. 여유자금을 만들어서 투자하고, 기다리면 된다. 아주 간단하지 않은가?

"Make your money work harder than you."

자본가와 노동자는 돈을 버는 방식이 다르다. 자본가는 자본이 일하게 함으로써 남이 나의 노후를 준비하도록 만드는 것이고, 노동자는 돈을 위해서 스스로 일을 하는 것이다. 회사에 취직하고 열심히 일해서 월급을 받는 건 돈을 위해서 일하는 사람, 즉 노동자다. 자본가는 바로 기업을 소유한 사장이다. 사장이 몸이 아파서 회사에 안 나가도, 직원들은 나온다. 직원들이 돈 벌어 나한테 가져다주는 자본가와 돈 벌기 위해 직접 일하는 노동자 중 어느 쪽이 좋은가? 당연히 자본가를 선택하고 싶겠지만, 다 자본가가 될 수는 없다. 그래서 주식을 사게 되면 노동자도 되면서 자본가도 되는 것이다.

미국의 회사들이 직원들한테 스톡 옵션을 주는 이유가 바로 노동자인 동시에 자본가도 될 수 있게 하는 것이다. 한마디로 두 가지 모자를 쓰는 것과 같다. 아침에 나가서 열심히 일하는 것은 노동자의 모자를 쓰는 것이고, 그 회사의 주식을 공유함으로 인해 자본가의 모자도 쓰는 것이다. 한 가지만 택하는 건 위험하다. 내가 몸으로도 일하지만, 동시에 자본도 일하게 해야 한다.

우리나라에도 과거에 직원들에게 스톡 옵션을 주는 회사들이 있었고, 지금도 유망한 스타트업이나 대기업 위주로 스톡 옵션을 부여하는 회사가 많지만, 그런 혜택을 받은 직원들이 주식을 너무 빨리 매각하는 바람에 그런 시스템이 본래의 의도대로 잘 정착되지는 못한 것 같다. 근로자들도 이제부터는 자본가가 될 수 있는 모든 방법을 강구해야 한다. 본인의 퇴직연금, 연금저축, IRP 등을 통해서 주식투자의 비중을 점차 늘려가야 한다.

## 어떤 돈으로 투자하면 될까?

대표님 말씀은
주식시장을 예측해서 샀다
팔았다 하지 말라는 거죠?
물론이죠.
너무나 많은 사람들이
그걸 예측할 수 있다고
착각합니다.
인생은 타이밍이지!
앞으로 일주일 동안 주식시장이
안 좋을 것 같으면 주식을 팔아서
현찰을 늘리고,
또 좋을 것 같으면 사서 현찰을
줄이고… 그렇게 하면 안 돼요.

현금 부분을 늘렸다
줄였다 하면 안 됩니다.
항상 투자가 되어
있어야 하죠.
네, 그럼 어떤 돈을
투자해야 할까요?
지르거라….
내 결코 지름신에
지지 않으리라…!
월급의 10%든, 내 용돈이든 아니면
특별히 소비하지 않아도 되는 걸
아껴서 투자하는 겁니다.

그 돈이 당장 필요해지거나
하진 않을까요?
'여유자금'이기 때문에
당장 필요하지 않고,
주식이나 펀드에 투자하는 이유는
바로 '노후준비'이기 때문에 오래오래
가지고 있어야 합니다.
늙으면
돈이 있어야 혀~.

표3: 한국인과 미국인의 금융 마인드

◆ 펀드투자목적 : 한국은 목돈 마련 VS 미국은 노후대책
◆ 펀드구입경로 : 한국은 은행 VS 미국은 퇴직연금 채널

〈 펀드 투자자의 투자목적 비교 〉

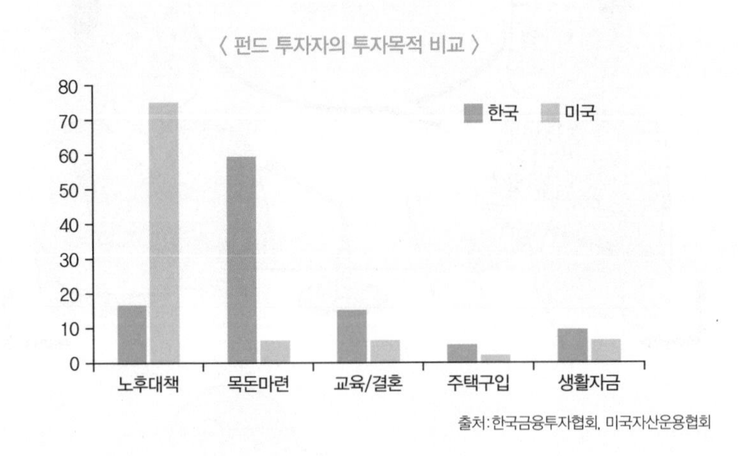


출처:한국금융투자협회, 미국자산운용협회

〈 펀드 구입 경로 〉

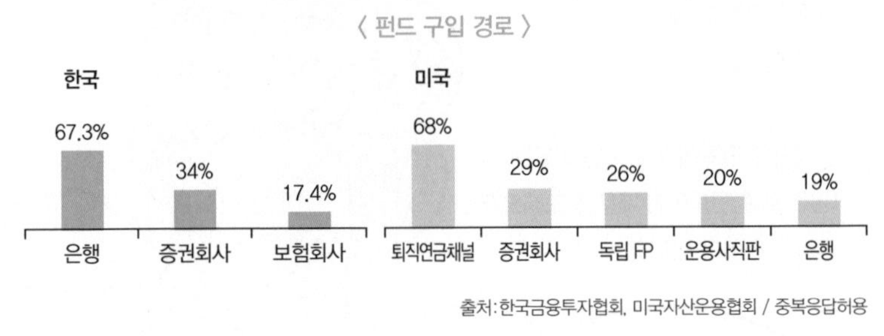


출처:한국금융투자협회, 미국자산운용협회 / 중복응답허용

위의 그래프를 보면 주식투자에 대한 한국과 미국의 인식 차이가 크게 다름을 알 수 있다. 미국인들은 펀드투자의 목적이 주로 노후준비

라고 여기지만, 한국의 경우는 단기간에 목돈을 벌기 위한 것으로 인식한다. 이런 인식의 차이 때문에 미국보다 한국의 투자자들은 투자 기간이 짧고 단기간의 변동성에 너무 민감하게 반응한다.

펀드의 구입 경로는 어떨까? 미국인은 대부분 401(k)와 같은 퇴직연금을 통해 구입하는 반면, 한국의 경우는 노후준비보다 단기간에 쉽게 사고팔 수 있는 은행이나 증권회사를 통해 구입한다.

한국의 퇴직연금제도는 변화가 필요하다. 현행 퇴직연금제도의 복잡한 경로로 인해 일반 근로자들이 퇴직연금제도를 제대로 활용하지 못하고, 원금보장형 상품에 머물러 있다는 것은 심각한 문제를 야기한다. 미국의 경우와 같이 한국에서도 기금형 퇴직연금제도의 도입이 절실하다.

## 존 리의 전 국민 부자 만들기

Q 적정 주가는 어떻게 알 수 있나요?

미래를 예측하기는 힘들기 때문에, 적정 가격을 예측한다는 것은 쉬운 일이 아닙니다. 어떤 시점에 똑같은 회사의 주식인데도, 어떤 사람은 사고 어떤 사람은 팔지 않습니까? 결국은 내가 판단하는 거죠. 10년, 20년 후에 시가총액이 크게 늘어날 것을 예상하고 주식을 사기 때문에 지금 10% 싸냐, 비싸냐, 하는 건 큰 의미가 없어요.

Q 기업의 가치를 평가할 수 있는 지표 용어에는 뭐가 있는지 설명해주실 수 있을까요?

PER, 시가총액, 배당률, 부채비율, P/B, ROE 등 기초적인 용어에 익숙해져야 합니다.

**Q** 가치투자는 어떻게 하는 것인가요?

회사의 가치를 보고 투자하십시오. 시가총액, 영업 보고서, CEO의 경영 스타일 등 기업의 가치를 보고 투자하는 거예요. 단기적인 그래프를 보고서 투자하는 것은 대체로 좋은 방법이 아닙니다. 그래프의 등락만으로는 미래의 가치를 절대 예측할 수 없거든요. 트레이더와 인베스터(투자자)의 차이를 알아야 합니다. 트레이더들은 회사의 펀더멘털과는 무관하게 주식 매매할 때 단기간 가격만을 가장 중요한 요소로 여기는 반면, 인베스터한테는 단기간의 주가 등락보다는 장기적으로 이 투자기업이 성장할 것인가의 여부가 훨씬 중요한 매매 이유입니다. 여러분은 트레이더가 아닌 인베스터가 되셔야 합니다.

**Q** 개인투자자가 차트를 꼭 봐야 할 때는 언제일까요?

과거에 주식이 어떤 패턴으로 얼마나 오르고 내렸나를 알 수 있는 참고사항 정도로만 봐야 해요. 미래 가치를 알아볼 때는 매출액 등 다른 요인들을 보고 자신이 판단하는 겁니다.

# 4 주식 매도는 '예외' 조치다

## 장기투자가 진리다

이 책을 여기까지 읽은 독자 여러분들은 주식을 장기로 투자해야 한다는 사실에 동의해주실 것으로 믿는다. 하지만 아직도 주식 단기투자에만 몰두하는 사람들이 많아서, 여러분의 장기투자 철학을 뒤흔들 수 있는 상황이다. 주식을 매입하자마자 언제 팔 것인가부터 골몰하는 개인투자자가 너무 많다는 얘기다. 주식투자는 장기투자여야 한다는 데 동의할 수 없다는 사람들은 대개 이런 걱정들을 한다. "주식은 언젠가

팔아야 하지 않나요?" "오래 들고만 있다가 회사가 잘못되면 어떻게 하죠?" 물론 그럴 수도 있다. 실제로 10년 투자했는데 가격이 10년 전보다도 하락했다는 예를 들면서 장기투자는 옳지 않다고 항변하는 이들도 있다. 하지만 10년 투자해서 10배가 됐거나 100배가 된 주식도 수두룩하다는 사실을 잊으면 안 된다. 주식투자란 그 회사의 지분을 갖게 되는 것이어서, 회사가 잘 되면 그 이익을 공유할 수 있다. 그게 바로 장기투자를 하는 이유다. 오랫동안 기다렸더니 그 회사의 가치가 커져서, 나도 그 회사의 주인이기 때문에 같이 이익을 나눌 수 있다는, 굉장히 단순한 진리다.

몇 종목에 장기투자를 했음에도 불구하고 주가가 하락했으니까 단기투자를 해야 한다는 논리는 지극히 잘못된 이론이다. 이것은 마치 나는 부자가 되기 위해서 기업에 투자하는 게 아니라, 도박장에 가겠다는 것과 같은 논리다. 또 장기투자라고 해서 무조건 오래 갖고 있어야 한다는 것은 결코 아니다. 오랫동안 투자하게 되면 그 주식의 가격이 크게 변하기도 하고 펀더멘털의 변화가 생기기도 한다. 투자 당시와 별로 달라진 게 없다면 굳이 매각할 이유가 없다. 주식을 매입할 때 또렷한 이유가 있는 것처럼, 매도할 때도 그 이유가 분명해야 한다. 10% 올랐으니까 팔거나 반대로 10% 떨어졌으니까 손절매를 하는 방식은 도박장에 간 것과 크게 다르지 않다. 주식을 매각해야 하는 것은 예외조항이라고 생각하면 된다.

주식 가격은 매일, 아니 순간순간 변하니까, 여러 가지 충동이 생길 수 있다. 주가를 예측해서 단기적으로 올라갈 때 이익을 취하고, 또 떨어질 때는 미리 팔아서 손해를 줄이려고 하다 보면 매일 단타 매매를 하게 된다. 그런 단타 매매에 빠지는 이유는 주가를 예측할 수 있다고 가정하기 때문이다. 많은 사람이 '가격 맞히기'를 주식투자라고 잘못 생각하는데, 그런 식으로 타이밍을 맞힐 수 있는 사람은 이 세상에 한 명도 없다는 가장 중요한 사실을 모르는 것 같다. 그걸 아는 현명한 사람은 단기투자를 하지 않고 장기투자를 해서 그 기업의 가치가 증가할 수 있도록 기다리는 사람이다. 장기적으로 보면 그 회사 경영진은 계속 돈을 벌려고 노력을 할 것이고, 그게 쌓여서 시가총액도 거기에 부응한다는 얘기다. 그게 주식투자의 가장 근본적인 원리다. 기업은 이익을 계속 창출하기 위해 노력할 것이고, 충분한 시간을 주면 그 기업은 이익을 창출할 것이며, 그 실적은 시가총액에 반영되어 주주들의 부도 늘어나게 된다.

주식은 언젠가는 팔아야 한다. 그 점에 대해선 이견이 없다. 다만, 많은 사람이 주식을 사자마자 언제 팔지부터 걱정하는 데에서 심각한 철학의 차이가 생긴다. 예를 들어서 어떤 주식을 5만 원에 샀는데 5만 5천 원일 때 팔아서, 약 10% 이상의 수익을 봤다고 하자. 그런 건 주식투자가 아니라, 카지노에 가서 도박한 거나 마찬가지다. 가격이 올라갈 것을 예측해 샀다가 팔았기 때문에 돈이야 벌었지만, 더 기다리면 그게 50만 원이 될 수도 있고 더 좋은 경우 500만 원이 될 수도 있다.

## 주식을 팔아야 할 세 가지 예외

그러면 주식은 언제 팔아야 할까? 5년 후, 또는 10년 후가 될 수도 있다. 일단 주식을 사면 팔 필요는 없다. 그게 5년이든 10년이든 회사가 꾸준히 사업을 잘해서 돈을 잘 벌고 있다면 매각할 이유가 없다.

다만 장기투자를 하더라도 매각을 해야 할 시점이 있다. 일종의 예외라고 할 수 있다. 나는 이처럼 주식을 팔아야 할 예외적인 경우가 크게 세 가지라고 본다.

1) 첫 번째로는 갑작스럽게 주식 가격이 급등했을 때다. 예를 들어, 어떤 회사 주식의 가치가 5만 원이라고 판단하고 앞으로 시간이 가면서 그 회사의 가치가 올라갈 것으로 생각했다. 그런데 갑자기 이해할 수 없는 이유로 5만 원에 산 주식 가격이 일주일 만에 10만 원으로 배가 되었다고 치자. 그런 경우에는 파는 것도 고려할 필요가 있다.

2) 두 번째로는 세상이 변했을 때다. 매입할 당시에는 해당 기업이

가지고 있는 경쟁력이 상당히 좋았는데 여러 가지 이유로 그런 기업들이 더는 경쟁력을 유지할 수 없다고 판단될 때다.

3) 그리고 세 번째로는 새로운 투자를 할 때다. 투자는 언제나 여유자금으로 실행해야 하고, 시장을 예측해서 현금자산을 늘리거나 줄이는 방법은 좋은 방법이 아니라고 강조한 바 있다. 어떤 기업이 새로이 상장되었다든지 다른 좋은 투자의 기회가 생겼을 때, 자금을 마련하기 위해 기존에 투자했던 주식을 매각해야 할 수밖에 없는 상황이 올 수 있다.

위에서 열거한 예외조항이 아니라면 굳이 가격의 변화에 흔들려서 매각하는 우를 범하지 않아야 한다.

결론적으로 장기투자를 해야 돈을 벌게 되어 있고 성공한 투자자가 될 확률이 높다. 성공하려면 많은 참을성이 필요하다. 여러분 스스로 원칙을 확립하고 흔들리지 않는 투자가가 되기를 바란다.

## 주식은 사고팔아야 할 이유가 없다

단기적으로 주식의 가격을 맞히는 것은 불가능하기 때문이죠. 하지만 장기적으로는 예측이 가능합니다!
이 몸이 30년 후를 꿰뚫어 보고 있다 하지 않았느냐!
번쩍
주가는 단기적으로는 변동성을 가지지만 장기적으로는 그 회사의 가치에 수렴하게 됩니다.
좀 더 쉽게 설명해주실 수 있으세요?
?!

예를 들어 20년 전에 삼성전자 주식을 사서
지금까지 보유하고 있다면 아주 큰 자산이 되어 있겠죠?
하지만 단기적으로 6개월, 1년, 2년 등은 알 수가 없습니다.
10년은 묵혀놔야~!
일만 원이 됐다가 오천 원이 되기도 하고,
이만 원이 되기도 하는 등 수도 없이 반복하는데,
10년이나 15년 기다리면 일백만 원도 되고 이백만 원도 되는 거죠.
그럼 장기투자를 할 때, 얼마나
긴 시간을 장기로 볼까요?
10년이요!
5년이요!

사놓길 잘했다…
아주 극단적으로 얘기하면,
주식은 한번 사면 팔 필요가 없어요!
세상 뿌듯
SAMSUNG
주식
헉… 그럼 죽을 때까지 가지고
있어야 하는 거예요?
내 주식을
잘 부탁하네…

그 회사가 계속 잘 된다고 가정하면 그냥 갖고 있는 거죠. 30년도 가지고 있을 수 있고, 더 오래 가지고 있을 수도 있어요.
하지만 세상은 변하고, 그 회사도 좋았다가 나빠질 수가 있는 거죠. 그래서 기본적으로는 가지고 있되, 앞서 설명한 대로 주식을 매각할 이유가 생기면 파는 것입니다.
내가 투자한 회사가 이상해졌어….
내가 이날까지 10년을 기다렸다!
다 장기투자라고 그래서 '무조건 나는 10년 후에 뚜껑을 열어보겠다.' 이런 건 아닙니다.
주식시장은 변동이 심하니까, 내가 어떤 주식을 샀을 때 단기적인 주가 흐름에 연연하지 말라는 거죠. 예를 들면 어떤 회사가 1년에 10%, 20%씩 매출액이 올라가는데, 이상하게 주식은 떨어지는 경우가 있거든요.

하지만 그 회사의 펀더멘털은 쉽게 변하지 않습니다.
회사의 펀더멘털이 좋다면 주식을 사고팔아야 할 이유가 전혀 없는 거죠.
그게 제가 말하는 장기투자라는 겁니다.
성장
수익
가치
능력
내 펀더멘털은 탄탄하다고!
그래서 어떤 회사는 5년이 장기투자일 수도 있고, 20년이 장기투자일 수도 있고 여러 가지 변수에 따라 다릅니다.
다만 단기투자해서는 돈을 벌 수 없다는 건 진리입니다!

만약에 여러분이 어렸을 때 부모님이 맥도날드나 코카콜라
주식을 사주셨다면, 20년 후 엄청나게 큰돈이 되었겠죠?
앞으로도 그런 주식은 많을 거라고 봅니다.
UP !!
SAMSUNG
어떤 주식을 사서 20% 올라가면 팔고
또 20% 떨어지면 손절매하고... 그런 식으로는
절대 돈을 벌지 못합니다. 그건 현명한
투자 방법이 아니에요.
주식은 장기적으로 가지고 있어야 하고,
중간에 팔수밖에 없는 상황이 오거나 생각하지
못한 변수가 생겼을 때만 팔아야 합니다.
그게 바로 장기투자입니다!!

# 존 리의 전 국민 부자 만들기

Q 주식에 장기적으로 20년을 투자했는데, 상장폐지가 되면 어떻게 하죠?

지나치게 부정적인 사람은 걱정만 너무 앞서는 것 같아요. 내가 펀드매니저를 수십 년 했지만, 펀더멘털에 기반을 두고 투자하면 그런 일은 안 일어납니다. 또 혹시 그런 일이 일어나더라도 대비하자는 뜻에서 분산투자를 하는 거고요. 분산해 투자했으면, 한 군데에서 혹시 잘못되더라도 위험을 최소화할 수 있죠.

Q 분산투자를 좀 자세히 설명하자면요?

간단하게 말하면 달걀을 한 바구니에 안 담는 것과 같아요. 한 종목이 잘못되더라도 내 재산 전체에 큰 문제가 없도록 여러 회사에 나눠서 투자하는 거죠. 만약 주식투자에 별 경험이 없다면, 여러 기업에 투자하기 위해서 펀드에 투자할 것을 권해드립니다.

Q 주식투자와 복리와의 관계를 이해하지 못하겠어요.

복리는 이자가 이자를 버는 겁니다. 이미 올린 수익이 다시 수익을 창출하는 거죠. 만약 주식에 투자해서 이익이 10%씩 꾸준히 늘어나 재투자가 된다면, 마찬가지로 복리의 효과를 누릴 수 있습니다.

Q 올해 주식 전망에 대해서 한 말씀 해주세요.

시장을 예측하는 것은 거의 불가능합니다. 주식투자는 단기간의 시장을 예측하여 실행하기보다 장기적으로 10년, 20년을 바라보는 시선을 가지고 해야 해요.

Q 한국 증시가 오랜 기간 박스권에 갇혀 있다고 하는데 박스권을 벗어날 것이라는 보장은 어디에 있나요?

저는 한국 주식에 대해서 긍정적인 편입니다. 한국 회사들은 계속 돈을 벌어왔는데 주식 가격은 그대로 있거나 하락한 경우가 허다해요. 한국 기업의 대다수는 경쟁력이 있고 앞으로 좋아질 가능성도 있다고 생각합니다.

한국 주식이 오랫동안 박스권에 갇혀 있었다는 점은 한국 시장을 더 매력적으로 보이게 만듭니다. 한국 주식에 투자하면 안 된다고 생각하는 사람들이 대단히 많을뿐더러, 퇴직연금의 운용에서도 한국 주식 비중이 놀랄 정도로 낮습니다. 2%밖에 안 되죠. 외국의 퇴직연금은 30~50%가 주식에 들어가 있는데 말이죠. 퇴직연금제도가 개선된다면, 풍부한 자본이 한국의 주식시장에 들어올 가능성이 있습니다. 또 요즘 많은 사람들이 주식에 관심을 가지는 상황 자체도 상당히 긍정적인 신호라고 봅니다.

# 5 '동학개미'의 진군 : 이제는 정부가 나서라

## 한국 주식은 싼 가격에 거래되고 있다

사람들이 흔히 이렇게 묻곤 한다.

"한국 주식은 오랜 기간 박스권에 머물러 있는데, 희망이 없지 않을까요? 한국 경제는 성장이 멎었다고들 하는데…."

이에 맞장구라도 치듯이 어떤 저명한 경제학 교수는 자신만만하게 말한다. 한국의 경제 상황은 갈수록 어려워질 것이라고. 그래서인지,

사람들은 한국 주식을 외면하고 미국의 ETF나 달러나 심지어 원유 선물 같은 투자 대상을 기웃거린다. 혹은 '그래, 역시 부동산이 최고지,' 하면서 주식을 외면한다.

한국 주식, 정말 투자로서의 매력이 없을까?

나는 오히려 그 반대라고 생각한다. 한국 주식이 소위 '박스권'을 탈출하지 못하고 싸게 거래되는 이유는 여러 가지가 있겠지만, 한국 사람들의 주식투자에 대한 잘못된 편견이 가장 중요한 요소다. 개인의 자산에서 주식투자가 차지하는 비중은 아주 적고, 양질의 장기 투자금인 퇴직연금에서조차 주식의 비중은 전 세계에서 가장 낮은 수준이다. 잘못된 퇴직연금 제도에 의해, 주식에 투자되어야 할 자금이 원금보장형 상품에 갇혀 잠자고 있다. 연금 등의 기관투자자들조차 한국 주식시장에 투자하기보다 해외 주식 비중을 늘리겠다고 발표하는 실정이다. 안타깝게도 이것은 마치 우리 자식은 성공할 가망성이 없으니, 옆집 아이의 미래에 투자하겠다는 것과 같은 이치 아닐까?

2020년 초 신종 코로나 바이러스가 확산하면서 전 세계를 강타한 주식시장의 하락은 어마어마한 공포를 안겨주었고, 한국도 예외는 아니었다. 외국인 투자자들이 폭풍처럼 한국 주식을 대거 매도하자, 놀랍게도 개인투자자들이 주식시장에 뛰어들어 그들의 매도액에 맞먹는 규모의 주식을 매입했다. 본격적으로 하락세가 시작된 2020년 1월 20일부터 3월 31일까지 '동학개미'란 별명을 얻은 이 개인투자자들은 코스피 19.9조 원, 코스닥 2.3조 원에 이르는 주식을 매수했고, 같은 기간 중 고객예탁금은 28조 원에서 무려 43조 원으로 급증했다. 주요 증권사마다 26만~38만 개씩 총 1백만 개가 넘는 신규계좌가 개설되면서, 평소 주식에 큰 관심을 보이지 않았던 사람들이 주식투자의 필요성을 느끼게 된 것은 고무적이다. 특히 젊은이들의 주식투자 참여도가 높았던 점은 대한민국 자본시장 역사에 커다란 한 획을 그은 사건이고 한국 자본주의의 희망을 엿보게도 된다.

주식 하면 망한다는 교육을 평생 받았을 젊은이들이 왜 그처럼 폭락하는 장에서 주식투자에 관심을 쏟게 됐을까? 나 또한 궁금했다. 젊은층뿐만 아니라 미성년자들의 주식투자 계좌 개설도 상당히 많았다고 한다. 개인마다 사정이 다르겠지만, 이들이 일단 주식에 투자해야겠다고 결심했다는 사실은 무척 고무적이다. 많은 신문이나 방송에서 나의 의견을 묻는 인터뷰 요청이 많았다. 그들의 질문은 대부분 이 새로운 추세가 걱정스럽지 않은가, 혹은 위험하지 않은가, 하는 식이었다. 외국인들이 저렇게 팔고 있는데 왜 한국의 개미 투자자들이 그걸 받쳐주어야 하는가, 걱정스럽다, 3개월 수익률을 보니 역시 개미들의 수익률이 저조하다, 등등의 언급이 쏟아졌다. '동학개미'들이 결국은 실패할 것이라고 하는 기사도 자주 눈에 띄었다.

외국인이 파는 주식을 한국인이 사는 게 어째서 문제일까? 알 수가 없다. 기업의 펀더멘털을 보고 주식을 매입하는 사람들에게는 외국인이 팔건 내국인이 팔건, 전혀 이슈가 아니니다. 20여 년 전 IMF 위기 때 우리나라 투자자들이 한국 주식을 팔고 있을 때, 똑똑한 외국인들은 한국 주식을 사들였다. 그리고 당연히 큰돈을 벌어갔다. 그렇게 막대한 수익을 챙긴 외국인 투자자들을 우리는 얼마나 비난했던가? 누가 사고 누가 파느냐를 따지는 것은 아무런 의미가 없다. 마찬가지로 3개월 동안 혹은 6개월 동안 누구의 수익률이 가장 높았느냐를 따지는 것도 지극히 단기적이고 잘못된 시각이다. 주식투자는 장기투자의 관점에서 보아야 하고, 누가 더 펀더멘털이 좋은 주식을 부지런하게 찾느냐의 경쟁이다.

여기서 잠시 새 밀레니엄이 시작된 이래로 한국 주식시장이 전반적으로 어떻게 움직여왔는지, 한눈에 확인할 수 있는 그래프를 보기로 하자. 아래 표는 2001년부터 2020년 중반까지 코스피 종합지수의 변동을 나타낸다. 주가지수에 대한 전문지식이 없는 사람이라도 2011년부터 2017년까지 소위 '박스권'을 오르내리는 제한된 움직임을 볼 수 있을 것이며, 2007년~2008년에 터진 글로벌 금융위기 및 2020년 초의 코

표4 : 코스피 종합지수의 변동 (2001년~2020년)

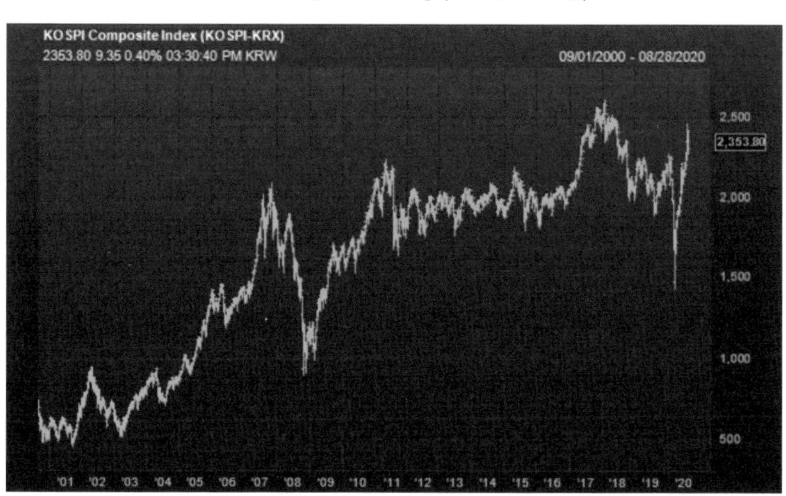

로나 바이러스 사태로 인한 지수 급락도 확인할 수 있을 것이다. 그러나 중요한 점은 이 20년의 기간 동안 코스피 종합지수가 어쨌거나 꾸준히 우상향으로 올라, 결국 기초 시점 대비 약 5배 수준으로 상승했다는 사실이다.

다행히도 지금 한국의 주식시장은 30년 전의 일본과 같은 버블이 아니다. 아니, 오히려 디스카운트된 가격으로 거래되고 있다. 이유는 간단하다. 주식투자가 위험하다고 생각하는 사람들이 여전히 대다수인 데다, 한국 주식에 대한 기관투자자들의 외면, 세계에서 주식투자 비중이 가장 낮은 퇴직연금이 한국 주식시장의 침체를 가져왔다.

또 다른 가장 중요한 원인 중의 하나는 한국 기업들의 열악한 기업지배구조다. 한국 주식시장이 오랫동안 다른 나라들에 비해 침체해온 것은 우리 스스로 우리 시장을 매력 없게 만들었기 때문이다.

미국은 1980년도부터 시작된 퇴직연금제도인 401(k)를 통해 지속적으로 투자자금이 주식시장에 들어옴으로써 그 시장이 활성화되었고,

더 중요한 사실은 새로운 기업들이 끊이지 않고 태어날 수 있는 토양이 다져졌다는 점이다.

한국 '동학개미'들의 주식시장 진입은 우리 자본시장에서 큰 획을 그을 수 있는 계기가 되었다고 생각한다. 우리 스스로 간과했던 한국 기업들의 투자 매력을 일깨워준 사건이라고 볼 수 있다.

장기적인 관점에서 더 중요한 과제는 이제부터다. 주가 급락 시장에서 주식시장에 진입한 '동학개미'들이 앞으로도 주식시장에 계속 머물러 있게 장기투자를 유도하고 시장을 향한 신뢰를 유지할 수 있도록, 정부가 필요한 조치를 마련해야 한다.

우리가 조금만 생각을 바꾸면 한국은 엄청난 기회를 누릴 수 있다. 퇴직연금, 국민연금 등 대표적인 양질의 자금이 한국 기업에 투자되면, 주식시장이 활발해지고 기업들의 자금 조달 비용이 낮아지며 주식시장 활황으로 인해 창업정신으로 똘똘 뭉친 새 기업들이 많이 탄생하게 되어 있다. 국민연금, 퇴직연금, 연금저축펀드, 기타 연기금 등은 일본이 빠져들었던 깊은 잠에서 깨어나 한국 기업들을 대상으로 왕성한 투자를 시작해야 한다.

동학개미라는 개인투자자들이 한국 자본시장의 큰 그림을 그리기 위한 물꼬를 텄다면, 앞으로는 모든 국민이 자본시장 발전에 지대한 관심을 쏟아야 한다. 일본이 하지 못했던 일을 한국은 해낼 수 있다. 부동산에 쏠리는 자금이 주식시장으로 들어와 기업들에 투자되어야 하고 아이들의 사교육비로 쓰이는 30조 원의 자금이 그들의 창업자금으로 전환된다면, 대한민국의 미래는 그 어떤 나라보다도 밝을 수 있다.

우리나라의 퇴직연금, 연기금 등은 한국 주식에 한층 더 적극적으로 투자해야 한다. 주식시장에 풍성한 자본이 들어오게 되면, 주가가 전반적으로 상승할 뿐만 아니라, 기업들이 성장과 R&D 등을 위한 자금을 확보하게 되고, 새로운 기업들이 상장하여 성장 동력을 확보하게 되는 선순환을 이룬다. 나아가 우리 자녀들이 창업을 시도하게 되고, 근로자와 자본가의 역할을 동시에 할 수 있게 되고, 금융문맹 탈출에 한층 더 박차를 가할 수 있게 된다. 개인으로 보나, 국가 관점에서 보나, 그런 순

기능을 지닌 우리나라의 주식시장에 투자하는 것은 너무나 당연한 일 아닌가.

이스라엘은 새로이 출발하는 기업들의 육성을 최우선으로 삼고 있다. 그 결과로 다수의 유니콘 기업들이 곳곳에서 태어나는 것이다. 한국 사람들의 근면성, 꼭 성공하겠다는 의지, 똑똑함, 그리고 거기에 금융에 관한 지식과 지혜까지 더해진다면 대한민국의 미래는 끝이 어디인지 모를 것이다.

금융문맹 탈출, 금융산업의 경쟁력이 국가의 미래를 결정한다는 말은 결코 과장이 아니다. 지금부터 한국 주식을 다시 바라볼 필요가 있다. 우리 주식시장이 몇 년간 박스권에 머물러 있다는 사실에는 여러 가지 함의가 있다. 한국 기업들의 실적이나 경쟁력이나 미래 전망이 암울해서 그런 것은 아니다. 장기적인 투자 관점에서는 오히려 좋은 매수 기회다. 보는 눈을 달리하면 명암이 바뀌고, 침체가 기회로 작동하기 시작한다.

한국 자본시장의 발전을 위해 다시 한번 강조한다.

대한민국의 펀더멘털이 안 좋아서 주식 가격이 싼 것이 아니라, 주식에 투자하는 문화가 아직 본격 형성이 안 된 것뿐이다. 그럴수록 오히려 남들과 다르게 생각할 필요가 있으니, 우리나라에 투자할 만한 기업이 별로 없다는 생각은 지극히 잘못된 편견이다.

## 한국 주식이 프리미엄으로 거래되는 날은 온다

지금 한국 주식은 비싸지 않다. 여러 다른 나라에 비해서 저평가되어 있다. 일간신문을 가끔이라도 들춰보는 사람이라면 다 아는 사실이다. 한국에는 좋은 기업이 많다. 널리 알려지지 않았을 뿐, 세계적으로 손꼽히는 기업이 한둘이 아니다. 앞으로도 좋은 기업이 계속 태어나야 하고, 또 태어날 것이다. 단, 전제조건이 있다. 이러한 기업들이 계속 상장해서 시가총액이 큰 기업으로 성장할 수 있는 생태계가 있어야 한다. 그 생태계가 바로 주식시장이다.

한국 주식의 약 40%를 외국인이 소유하고 있다. 우리 주식의 40%를 외국인이 차지하고 있는데, 왜 한국 사람들은 한국 주식에 투자하면 안 된다고 할까? 왜 한국 주식은 위험하다고 지레 겁을 먹을까? 지독하게 왜곡된 금융 지식이 한국의 자본시장을 짓누르고 있다.

한국 주식시장이 '저평가'가 아니라 '프리미엄'으로 거래되려면 몇 가지 꼭 필요한 사항이 있다.

1. 퇴직연금 제도의 전환이 필요하다. 너무도 복잡한 퇴직연금 제도로 인해 주식시장에 들어와서 활약해야 할 자금이 은행 예금 등의 '원금 지키기' 상태에 머물러 있다. 이미 여러 차례 언급한 것처럼, 퇴직연금의 주식 비중이 세계에서 꼴찌 수준이다. 미국과 같은 기금형 퇴직연금의 도입이 절실하다.

2. 국민연금 등 연기금 역시 한국 주식시장에의 투자 비중을 높여야 한다. 한국 주식시장이 작아서 연기금 등이 투자를 꺼리고 오히려 외국 주식에의 투자를 늘리려고 하는 것은 지극히 소극적인 생각이다. 한

국 시장이 영원히 성장하지 않을 것이란 가정은 지극히 패배적인 사고방식이다. 시장이 연못처럼 작아서 문제라면, 바다로 만들겠다는 상상력과 의지가 필요하지 않을까. 한국 주식시장이 작은 이유는 우리가 스스로 외면했기 때문이다. 주식시장에 투자되고 있지 않은 자금이 장기적으로 이 시장에 들어오도록 물꼬를 트면 엄청난 생태계가 형성된다. 새로운 기업이 탄생하고 우리의 자녀들이 창업을 꿈꾸게 되고 많은 신흥 부자가 탄생할 것이다. 마치 물이 없는 우물에 물을 공급하면 새로운 물이 더욱 생성되는 것과 같은 이치다. 퇴직연금을 비롯한 기타 기관자금 대략 1,000조 원이 아무 일도 하지 않은 채 빈둥빈둥 놀고 있다.

아래 표에서 확인할 수 있는 바와 같이, 다른 OECD 주요국과 견주어볼 때 우리나라의 퇴직연금 자산 가운데 주식이 차지하는 비중은 부끄러울 정도로 낮다. 심각하게 개선이 요구되는 상황이다. 대한민국이 성공적인 금융 강국으로 탈바꿈하느냐 마느냐는 잠들어 있는 이 1,000조 원을 어떻게 일하게 만드느냐에 달려 있다.

표5: OECD 주요국의 퇴직연금 자산 중 주식 비중

미국 30.7%, 호주 32.8%, 일본 8.1%, 한국 2.7%

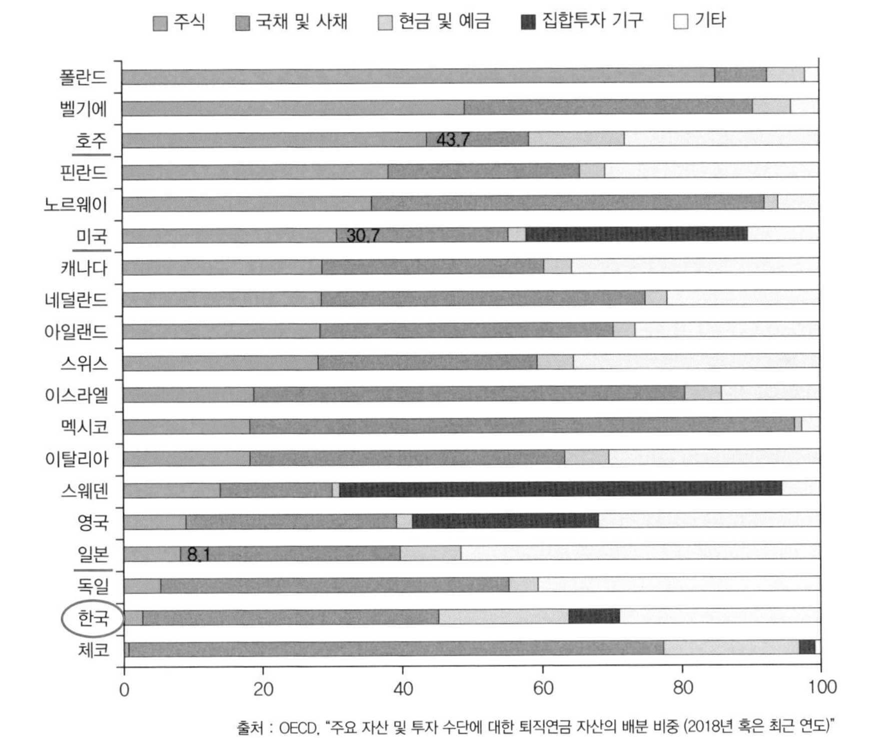


출처 : OECD, "주요 자산 및 투자 수단에 대한 퇴직연금 자산의 배분 비중 (2018년 혹은 최근 연도)"

3. 기업지배구조의 발전이 필요하다. 안타깝게도 한국의 기업지배구조는 아시아에서도 후진국에 속한다. 기업지배구조의 변화 없이 주식시장의 성장은 있을 수 없다. 기업지배구조의 중요성은 아무리 강조해

도 지나치지 않는다. 또 지배구조의 중요성과 그 영향은 어느 한 기업에 국한되지 않는다. 열악한 기업지배구조는 특정 기업의 흥망성쇠에 직접 영향을 끼치는 것은 물론, 더 나아가 기업이 속한 나라에 위기를 초래하기도 한다. 한국이 겪은 1997년의 금융위기나 2008년의 미국발 금융위기 모두 열악한 지배구조 때문이었다. 1997년 위기의 경우, 자본과 노동력이 부가가치가 높은 산업으로 흘러들지 못한 데다, 경영진의 그릇된 판단을 저지할 수 있는 이사회가 제대로 작동되지 않았기 때문에, 많은 기업이 도산하게 됐고 한국은 끝내 IMF의 구제를 요청할 지경에 이르게 된 것이다. 미국발 금융위기 또한 금융기관의 탐욕을 통제할 수 있는 기능이 작동하지 않아 전 세계를 위기에 빠뜨린 사건이다.

기업지배구조는 그만큼 중요한 것이다. 기업지배구조가 전반적으로 좋아지게 되면 회사의 주식 가격이 올라가게 되고 자본조달 비용이 줄어들면서 사회적 비용이 크게 줄어드는 효과가 있다. 또 하나의 큰 효과는 거대한 규모의 외국인 자금이 한국으로 들어오는 것이다. 많은 외국자본이 한국 투자를 꺼리는 가장 큰 이유가 바로 열악한 한국 기업지배구조였기 때문이다.

4. 부동산으로 몰리는 어마어마한 크기의 자금이 방향을 바꾸어 기업에 투자되어야 한다. 자본이 부동산에 묶이게 되면 자본이 열심히 일하지 않게 되고, 창의적인 아이디어를 갖고서도 자금이 없어 허덕이는 기업이나 미래 성장 전망은 좋은데 자금에 목말라 하는 기업 등에 충분히 투자하지 못하게 됨으로써, 결국 주식시장의 '선순환' 역할을 저해할 수밖에 없다.

## 존 리의 전 국민 부자 만들기

Q 기금형 퇴직연금이란 어떤 것입니까?

특정 연금 사업자한테 퇴직연금의 운용을 일괄하여 맡기는 것이 아니라, 기업이 스스로 자산운용사를 직접 고용해 직원들의 퇴직연금을 운용하는 방식을 말합니다. 복잡한 과정이 간결하게 변하고, 직원들은 자신들의 퇴직연금 자산을 좀 더 적극적으로 운용할 수 있게 되는 거죠.

Q 퇴직연금에서 디폴트라는 것은 무슨 뜻인가요?

DC형(확정기여형) 퇴직연금 가입자가 따로 운용 지시를 하지 않아도 금융사가 '미리 결정해놓은(디폴트인)' 운용 방법을 통해 투자 상품을 고르고 운용하는 제도를 말합니다. 주로 미국, 호주 등 DC형 퇴직연금이 발달한 국가에서 널리 활용되고 있지요. 가입자가 연금 운용에 대한 전문 지식이 부족해 자산을 효율적으로 운용할 수 없더라도 굳이 개별 선택 없이 적립금을 운용할 수 있다는 장점이 있죠.

Q 항상 궁금했는데, 가족이 기업을 경영하는 것과 전문경영인이 경영하는 것 중 어느 편이 좋을까요? 가족이 경영하면 책임감이 있어서 더 애착을 느끼고 장기적인 관점에서 결정하기 때문에 단기 성과에 집착할 수밖에 없는 전문경영인에 비해 유리하다고 하는데요.

가장 중요한 요소를 간과했네요. 경영진이 오너 가족이냐 전문경영인이냐의 여부가 중요한 것이 아니고, 누가 모든 주주를 위해 더 이익을 창출하고 주주 전체의 이익을 대변할 수 있느냐에 달려 있죠. 그리고 그 역할을 이사회가 제대로 해야 합니다. 이사회의 독립성이 중요한 이유죠.

Q 사모펀드와 공모펀드의 차이가 무엇인가요?

공모펀드는 특정하지 않은 다수의 투자자로부터 자금을 모으는, 즉 누구라도 손쉽게 매수할 수 있는 펀드를 말해요. 대신 투자자를 보호하기 위하여 엄격한 규제가 적용되죠. 반대로 사모펀드는 소수의 특정 투자자들로부터 자금을 모아 비공개적으로 운영하는 펀드로, 규제로부터 비교적 자유로운 편이에요. 우리가 흔히 말하는 헷지 펀드는 모두 사모펀드라고 생각하면 됩니다.

Q 어떨 때 손절매를 해야 하나요?

주식을 취득했다가 일정 부분 손해가 났다는 이유로 매도하는 것은 바람직하지 않습니다. 예를 들어, 어떤 주식을 10만 원에 샀는데 주가가 8만 원이 됐다고 가정합시다. 이럴 때 주변에서 손절매하라고 이야기합니다. 내가 이 주식을 10만 원에 살 때는 왜 샀을까요? 이 주식이 10만 원의 가치가 있어서 산 거 아닌가요? 근데 8만 원이 됐다고 해서 왜 팔죠? 만약 그 주식의 가치가 그대로 10만 원이라면 가격이 8만 원으로 떨어져도 큰 문제가 없습니다. 오히려 더 사야 하는 것, 아닐까요.

얼마까지 떨어지면 손절매하라고 이야기하는 것은 투자가 아니라 투기입니다. 결국 사람들이 주식투자를 투자가 아닌 '가격 맞히기'로 생각하고 있다는 뜻이죠. 주식은 사고파는 것이 아니라 모으는 겁니다. 10년, 20년을 보고 투자하는 거죠. 주식투자에 실패하는 이유가 이런 아주 간단한 개념을 잊기 때문입니다. 기업의 가치, 펀더멘털을 보지 않고 '가격 맞히기' 게임 정도로 생각하기 때문이죠.

**Q** 주가가 목표 수준까지 오르면 팔아야 하나요?

목표가격에 도달했다고 해서 매도하는 것은 좋은 투자방법이 아닙니다. 회사가 돈을 계속 잘 벌고 있다고 가정하면 목표가격도 자꾸 상승하게 됩니다.
자, 10만 원짜리 주식을 샀는데 목표가격인 15만 원까지 올랐다고 가정해보죠. 그러면 그 주식을 팔까요? 주식투자는 10% 혹은 20%의 수익을 기대하고 하는 투자가 아닙니다. 10년 혹은 20년 후에 10배, 50배, 100배로 기업의 가치가 상승하기를 기대하는 장기투자입니다.

주식투자를 위해 꼭 갖추어야 할 것은 자기만의 확고한 투자 철학입니다. '주식투자는 기업의 일부를 소유하는 것'이라는 생각이 중요해요. 어떤 회사의 주식을 산다는 것은 오랫동안 그 회사가 발전할 때까지 기다리는 행위라는 것을 알고 투자해야죠. 가장 유리한 사람은 누구일까요? 바로 우리 아이들입니다. 10년을 기다릴 수 있고 20년도 기다릴 수 있고 30년까지도 기다릴 수 있죠.

# 제3부

# 액션 플랜 : 투자하기 가장 좋은 때는 바로 지금

*"대표님. 저는 그동안 주식투자는 도박이라고 생각했는데, 잘못된 생각임을 깨달았습니다. 최근에 생각을 바꾸고 500만 원을 OO전자에 투자해서 한 달도 안 되어 20%의 수익을 올릴 수 있었어요. 재빨리 팔아서 100만 원을 벌었습니다. 감사합니다."*

*"요즘 미디어에서 어떤 증권 전문가가 주식시장이 많이 올랐으니 현금 비중을 늘려놓고 기다렸다가 주식시장이 하락할 때 주식을 사들이라고 하는데, 어떻게 할까요. 혼란스럽네요."*

*"대표님, 주식투자를 시작하기로 결심했습니다. 근데 언제 들어가는 것이 좋을까요?"*

*"주위에서 펀드보다 주식이나 ETF에 투자하라고 권하는데, 잘 모르겠네요."*

내가 가장 많이 받게 되는 질문을 위에 예로 들어봤다.

주식투자를 시작했다는 점에서는 물론 축하할 일이지만, 아직도 단기투자라든가 수익률 게임이라는 한계에서 벗어나지 못한 사람들이 대부분인 현실은 안타깝고 씁쓸하다. 특히 마켓 타이밍의 유혹을 떨치지 못하는 사람들이 너무 많다. 만약 여러분이 어떤 펀드나 주식에 투자할 것을 결심했다면, 가장 좋은 시점은 언제일까? 바로 오늘이다! 어제가 더 좋을 뻔했는지, 내일이 더 좋은 시점일지, 누구도 알 수 없다. 내가 주식이나 펀드를 사는 이유는 단기간에 10%의 수익을 내기 위함이 아니라, 5년, 10년 후에 500%나 1,000%의 수익을 실현하기 위함이라는 사실을 반드시 기억하자. 게다가 투자는 단 한 번으로 끝나는 것이 아니라 꾸준히 실행하면서 늘려가는 것이니, 단기간에 발생하는 주식 가격의 변화에 대해서는 크게 신경 쓸 일이 아니다. 투자하기 가장 좋은 때는 RIGHT NOW! 그리고 꾸준히 투자하라!

# 1 주식투자, 연금제도부터 이용하라

펀드나 주식에 투자하고 싶어도 어디서부터 어떻게 시작해야 할지, 막연한 사람들이 많다. 이럴 땐 정부가 국민의 노후준비를 위해 마련한 연금제도를 활용해서 시작하는 것이 가장 현명한 방법이다. 미국의 401(k)처럼 한국의 연금제도도 훌륭하게 되어 있다. 개인들은 이 제도에 담겨 있는 세금혜택을 충분히 이해하고 활용해야 할 것이다.

우리나라 연금은 크게 공적연금과 사적연금으로 나뉜다.

- 공적연금 = 국민연금, 기초연금, 공무원연금, 사학연금
- 사적연금 = 퇴직연금, 연금저축, 주택연금, 개인형 퇴직연금(IRP), 연금보험 등

이 장에서는 연금제도를 조금 더 쉽게 이해하고 투자하는 방법 및 순서를 소개하고자 한다. 공적연금은 여기서 논의할 영역이 아니므로, 다양한 사적연금 가운데 가장 효율적으로 노후의 생활을 지지할 수 있는 '퇴직연금'과 '연금저축'의 활용 방법을 알아보자.

(1) 먼저 '퇴직연금' 제도부터 알아보자. 자신이 속한 회사의 '퇴직연금'이 DB(확정급여)형과 DC(확정기여)형을 다 선택할 수 있는 것인지, 혹은 DB형만 택할 수 있는 것인지, 확인해야 한다. 현재 국내 기업

「근로자퇴직급여보장법」에 의해 2005년 12월에 도입된 퇴직연금제도에는 두 가지 유형이 있다.
(1) **확정기여형 퇴직연금**(DC=Defined Contribution) : 회사는 퇴직금 지급을 위한 재원을 외부 금융기관에 적립해주고, 근로자가 그 적립금을 직접 운용한다. 그리고 그 운용 결과에 따라 근로자가 받을 퇴직금이 더 커질 수도 있고 반대로 더 줄어드는 위험도 있다.
(2) **확정급여형 퇴직연금제도**(DB=Defined Benefit) : 회사가 근로자를 대신하여 적립금을 운용한다. 대신 그러한 운용 결과와 관계없이 근로자는 사전에 확정된 퇴직금을 받게 된다.

들은 대부분 DB형만 채택하고 있지만, DC형을 추가로 채택할 수 있도록 본인이 속한 회사를 설득해야 한다. 노후준비를 위해 퇴직연금을 제대로 활용하려면 DC형을 택해서 주식투자 비중이 높은 펀드에 가입해야 한다. 은퇴할 연수가 많이 남아있을수록 주식형 펀드에 더 많은 투자가 이뤄져야 한다. 나중에 점차 주식 비중을 줄이더라도, 지금은 주식형 펀드에 훨씬 더 많이 가입하자.

(2) 둘째, '연금저축'의 경우는 어떤가? 누구나 가입할 수 있는 연금저축에는 '연금저축보험'과 '연금저축펀드'라는 2가지 종류가 있다. 이 둘 중에는 주식투자 등의 운용으로 수익을 낼 수 있는 '연금저축펀드'가 더 유리하다. 따라서 연금저축보험에 가입해 있다면, 연금저축펀드로 이동하는 것이 더 좋을 것이다.

'연금저축'이 더욱 매력적이고 유리한 노후준비의 방편이라는 것은, 이 방식이 3중의 세제 혜택을 누릴 수 있기 때문이다. 좀 더 자세히 설명하자면, 우선 a) 연금저축에는 해마다 최대 1,800만 원까지 납입할 수 있고, 이 가운데 400만 원(50세 이상인 경우, 600만 원)까지는

13.2~16.5%의 세액공제를 받을 수 있다는 것이 첫째 세제 혜택이다. b) 더구나 이 연금을 운용해서 생긴 이익에 대해서도 연금 수령이 시작되기 전까지는 세금을 부과하지 않는다는 점이 둘째 혜택이다. c) 연금 개시 이후 매년 연금소득 중 세액공제 금액과 수익금액의 합이 1,200만원을 넘지 않는다면 종합소득세 과세 대상에서 제외되는 혜택이 있다.

(3) 나아가, 연금저축펀드와 함께 IRP 제도를 추가로 이용해서 주식투자를 시작하는 것이 가장 유리하다. '개인형 퇴직연금제도'로 불리는 IRP는 회사 단위로 가입하는 퇴직연금과는 달리, 재직 중에도 개인의 노후를 위해 '퇴직금 전용' 계좌에 가입하는 형태다. IRP 계좌에 납입하는 금액 가운데 연 300만 원까지는 연금저축펀드와 마찬가지로 세금혜택이 주어지므로, 반드시 연 300만 원 이상을 채우도록 하자.

연금저축펀드와 IRP 투자의 구체적인 순서를 소개한다.

1. 먼저 연금저축펀드 계좌를 개설한다. 그리고 일단 400만 원을 채우자. 보통 연금저축펀드는 증권회사에서 개설하거나, 직접 그 펀드

를 판매하는 자산운용사에서 개설한다. 이 가운데 자산운용사에서 계좌를 개설하면 두 가지 이점이 있다. 하나는 판매 수수료를 현저하게 줄일 수 있다는 점이고, 다른 하나는 투자하고 싶은 펀드를 훨씬 더 상세하게 파악할 수 있다는 점이다. 요즈음은 기술이 발달해서 비대면 계좌개설도 가능하고, 과거와는 달리 5분 안에 개설할 수 있다. 계좌를 개설한 후에는 여러 종류의 펀드 중 몇 가지를 선택해서 지속적으로 투자하고 55세까지 유지하면 세금혜택을 누릴 수 있다.

펀드를 선택할 때는 본인의 희망에 따라 하나의 펀드에만 투자할 수도 있고 여러 펀드에 투자할 수도 있다. 이때 반드시 고려해야 할 요소는 본인의 나이다. 예를 들어, 30대의 투자자라면 주식이 대부분을 차지하는 펀드를 선택하라고 권하고 싶다. 30대에서 40~50대로 넘어가면 주식형 펀드와 채권형 펀드를 적당히 조합해서 선택하면 된다. 주식 비중이 정해지면 국내에만 투자하는 펀드와 해외에 투자하는 펀드 중 본인의 의사에 따라 적절히 조합할 수 있고, 필요하면 언제든지 수정할 수도 있다.

펀드를 고를 때 고려해야 할 또 다른 요소들은 어떤 것일까? 펀드를 운용하는 회사의 철학, 펀드매니저 자신이 해당 펀드에 투자하고 있느냐의 여부, 펀드의 회전율 등이다. 연금저축펀드를 통해 세액공제를 받을 수 있는 한도 금액은 1년에 400만 원이다. 그래서 무조건 이 400만 원은 반드시 채워야 한다.

2. 연금저축펀드에 400만 원을 납입하고도 더 투자할 여유가 있다면, IRP 계좌를 통해 추가로 투자할 수 있다. 이 IRP 계좌는 은행이나 증권회사에서 쉽게 개설할 수 있다. 참고로 한국에서 가장 저렴하게 비대면으로 IRP 계좌를 열 수 있는 곳은 한국포스증권으로 알려져 있다. IRP에 납입된 금액 중 소득공제의 혜택을 받을 수 있는 한도는 300만 원이다. 그리고 현행법에 따르면 (나로서는 이해할 수 없지만) IRP 계좌에 축적된 금액 가운데 주식투자에 투입될 수 있는 것은 최대 70%까지다. 투자할 펀드의 선택은 연금저축펀드와 같은 요령으로 하면 된다.

3. 연금저축펀드의 소득공제 한도인 400만 원, 그리고 IRP 계좌의 소득공제 한도인 300만 원을 채운 다음에는, 추가로 1,100만 원까지

를 연금저축펀드를 통해 투자할 수 있다. 연금저축펀드의 투자 한도인 1,800만 원에서 위의 두 금액을 제외하면 1,100만 원이 남기 때문이다. 이 1,100만 원에 대해서는 세액공제의 혜택은 없지만, 거기서 발생하는 수익에 대한 세금을 55세까지 이연할(미루어놓을) 수 있는 장점이 있다.

얼핏 보기에는 복잡한 것 같고 이해하기 힘들 수도 있지만, 그래도 확실하게 알아둘 필요가 있다. 다시 한번 요약하면, 여러분들이 연금저축에 투자(납입)할 순서는 아래와 같다.

(1) 연금저축펀드 400만 원

(2) IRP 계좌 300만 원

(3) 연금저축펀드 1,100만 원

투자할 수 있는 (혹은 투자하고 싶은) 금액이 위의 세 가지를 합친 1,800만 원보다 적다면 (가령 1년에 1,000만 원만 투자할 수 있다면) 먼저 연금저축펀드에 400만 원, 그다음 IRP에 300만 원, 그리고 남는 300만 원을 다시 연금저축펀드에 투자하면 가장 좋다. 즉 연금저축펀드에

700만 원, IRP에 300만 원 납입하는 것이 가장 이상적이라는 얘기다.

그리고 배우자 혹은 자녀가 있다면, 따로따로 가입하는 것이 유리하다.

펀드가 아니라 직접 개별 주식에 투자하고 싶더라도, 연금저축 및 IRP의 한도를 먼저 채운 다음에 하는 것이 바람직하다.

## 올바른 투자, 어떻게 시작해야 할까?

일단 월급의 10%는 무조건 떼어서 투자해야 한다. 여기서 몇 가지 중요한 게 있다. 우선 빚지지 말아야 하고, 라이프스타일을 바꿔야 한다.

"Pay Yourself First!"

미국에서 흔히 주고받는 말이다. 돈이 생기면 그 돈을 쓰기 전에 자신에게 먼저 지불하라는 뜻이다. 내 월급이 300만 원이라고 가정했을 때, 30만 원은 무조건 나의 노후를 위해서 투자하라는 의미다. 그렇게 법칙을 정해놓으면 그 30만 원이 바로 여유자금인 것이다. 이처럼 나 자신을 위해 먼저 돈을 지불한(여유자금을 떼놓은) 다음에 다른 소비 항목들의 우선순위를 정해 남은 돈을 쓴다. 그러다가 돈이 떨어지면, 거기서 멈추어야 한다.

이제부터 '매일, 조금씩' 부자가 되어야 한다. 어제보다는 오늘 조금 더 부자가 되어야 한다는 마음으로, 라이프스타일에 변화를 줘야 한다. 무엇보다 아끼는 습관이 중요하다. 우리나라(특히 교통이 복잡한 서울)에서 굳이 자동차를 가지고 다니는 사람들을 보면 개인적으로는 이해하기 힘들다. 우리나라처럼 대중교통이 잘 되어 있는 나라를 찾기는 쉽지 않을 것이다. 우리 대중교통은 너무나 편리하고 안전하면서도 가격은 가장 저렴하다. 직업상 꼭 필요하거나 무거운 물건을 옮겨야 하는 등의 이유가 없음에도 대중교통을 외면하고 무조건 자동차를 타고 다니는 것은 잘못된 라이프스타일이다.

## 부자 될 수 없는 DNA

흔히들 창업해서 성공하는 사람보다는 실패하는 사람들이 많을 거라 생각하고 두려워한다. 하지만 그건 잘못된 편견이다. 사고방식이 부정적인 사람들, 혹은 부자가 되고 싶은 열망이 없는 사람들은 대개 언제나 실패를 먼저 생각한다. 돈 벌고 싶은 사람들에게 실패는 나중 이야기다. 물론 실패하는 일도 생기겠지만, 정말 돈 벌고 싶으면 우선 이것저것 다 하고 싶어야 정상이다.

회사 다니면서 상사 욕, 회사 욕 다 하고 짜증 나서 못 다니겠다는 그 숱한 사람들, 그들은 왜 그만두지 못할까? 대부분은 '위험하니까' 못 그만둔다고 말한다. 뛰쳐나갔다가 혹시 망하면 어떡할까, 하는 걱정이 앞선다. 서른 살에 회사에서 나가고 싶었는데 못 나가면, 5년이 지난 후에는 더욱더 위험해진다. 나이를 먹어갈수록 새로운 일에 도전하기는 점점 힘들어지고, '그때 그만둘걸,' 평생 후회할 것이다.

물론 계획도 없이 무책임하게 회사를 그만두라는 이야기는 아니고, 긍정적인 마인드를 가지라는 뜻이다. 그리고 내가 회사를 그만두지 않더라도, 주식은 반드시 투자해야 한다. 누군가가 내 노후를 위해서 일하게 만들어야 한다. 주식에 투자한다는 것은 누군가가 항상 내 노후를 위해서 일하게 만든다는 뜻이다.

## 부자 되는 라이프스타일

누구나 직업을 선택할 때 고려하는 몇몇 사항에는 우선순위가 있을 것이다. 솔직히 나는 그 첫 번째가 돈(보수)이 되어야 한다고 생각한다. 자기가 좋아하는 일인지, 잘할 수 있는 일인지 등의 요소도 신중히 고려해야 하겠지만, 나는 그래도 돈이 제일 중요하다고 본다. 아무리 좋아하는 일이라도 돈이 따라와야 하니까.

돈의 중요성을 알고 직업을 선택하면 더 행복하다. 벌어들이는 수입에 따라서 삶의 질과 형태 자체가 달라지기 때문이다. 아무리 내가 하고 싶은 일이어도 경제적으로 어려운 직업이라면, 피하는 게 좋다. 궁핍을 고민하지 않고 돈으로부터 자유로워져야 행복해질 수 있다. 우리나라는 그런 걸 표면적으로 백안시하기 때문에 직업을 잘못 선택하는 경우가 의외로 많다.

금융의 본질이 무엇인지, 한번 곰곰 생각해보자.

돈이 나를 위해서 부지런히 일하도록 만들어야지, 내가 돈을 좇아

다니거나 돈을 위해서 일해서는 절대 끝이 보이지 않는다. 금융의 본질은 바로 돈이 나를 위해서 일하게 만들어야 한다는 진리를 깨닫는 것이다. "Make your money work for you." 나를 위해서 돈이 열심히 일하도록 만들자는 얘기다. 내가 가진 자본을 극대화하는 라이프스타일이 최선의 길이요, 자본을 없애는 라이프스타일이 최악의 길이다.

## 늘 긍정적이어야 한다

미국에서 부자들에 관해 조사한 글을 읽은 적이 있다. "당신은 왜 부자가 되려고 생각했는가?" 부자들에게 그렇게 물었더니 부자 되기가 항상 즐거웠기 때문이라고 답했다. 투자도, 돈 버는 것도 다 재미있었고 아이디어가 생기면 그걸 즉시 해보고 싶었다고 한다. 한마디로 부자들은 모든 게 즐겁고 긍정적이다.

그런데 내가 한국에 와서 가장 안타까운 게 바로 부정적인 말들이 너무 많다는 점이었다. 자신을 비하하고 부자가 될 수 없다고 단정해버리는 것이다. 우리나라를 '헬조선'이라고 부르기도 한다. 사실 우리만큼 경제적으로 성공한 나라도 많지 않은데, 왜 헬조선이라고 스스로 비웃을까? 게다가 '소확행', '욜로' 같은 말들은 왜 그리 유행하는지! 대한민국은 어느 관점에서 보아도 엄청난 잠재력을 지닌 나라인데 부정적인 마인드를 가진 사람들이 이토록 많으니, 정말 걱정스럽다.

긍정적인 생각을 하는 사람은 그렇지 않은 사람보다 부자가 될 확률이 높다. 누구나 부자가 될 수 있다는 긍정적인 생각을 가져야 한다. 과장된 얘기가 아니다. 실제로 누구든지 부자가 될 수 있다. 워런 버핏도 처음부터 부자는 아니었다. 미국의 부자들도 아버지가 부자여서 부자 된 사람은 별로 없다. 한국도 사실은 마찬가지다. 무슨 재벌기업이라면 몰라도, 부자 중에는 자수성가한 사람들이 엄청나게 많다. 그리고 그 사람들은 대부분 긍정적이다. 그런 긍정적인 마인드를 가진 사람들은 주식에 관한 생각도 남다르다. 30년 바라보고 주식에 투자하며, 10~20% 떨어지거나 오르는 것에 연연하지 않는다.

## 투자는 습관이다

연봉이 3천만 원이든, 5천만 원이든 노후준비는 충분히 할 수 있다. 수입의 10%든 15%든 일정 부분을 과감히 떼어내 주식이나 주식형 펀드에 투자하면 윤택한 노후를 보낼 수 있다. 단, 단기적으로 투자하지 말고 오랜 기간 투자해야 한다는 사실을 절대 잊으면 안 된다.

소비하는 습관을 줄이고, 투자하는 습관을 지녀야 한다. 부자는 자산(asset)을 취득하는 즐거움을 누리지만, 가난한 사람들은 부채(liability)를 취득하면서 즐거움을 얻는다. 월급 적다고 투덜대는 사람은 많은데, 정작 그들의 라이프스타일은 그렇지 않은 것처럼 보인다. 비싼 가방이나 비싼 외제 차를 산다든가 해서 부자처럼 보이려고 하지 않는가? 나는 이해가 안 간다. "내가 소비를 안 하면 국가 경제도 어려워지지 않을까요?" 농담인지, 무모해서인지, 어떤 사람들은 그렇게 얘기한다. 그런데 국가 경제를 일으키는 데는 일반 개인의 소비보다는 투자와 재투자로 국가경쟁력을 키우는 게 훨씬 더 효과적이다.

투자는 습관일 뿐 아니라, 주위의 가족, 친척, 친구들에게 퍼뜨릴 수 있는 행복 바이러스요, 오래오래 즐거움과 부를 가져다주는 선물이기도 하다. 사랑하는 사람들에게 가장 좋은 선물은 미래를 선물하는 것 아니겠는가.

### 사랑하는 사람들에게 펀드를 선물하자

자녀나 친지에게 축하할 기회가 있을 때 흔히들 물건을 선물하지만, 조금만 시간이 지나면 받는 사람은 대부분 기억조차 하지 못한다. 각종 명절이나 생일, 입학, 졸업 등의 선물을 펀드로 바꿔보는 게 어떨까? 특히 자녀들, 손주 혹은 조카들에게 오래 가지도 않을 물건보다는 두고두고 의미 있는 펀드를 선물해보자. 또 친척이나 친지들에게도 우리 아이들한테 기억에도 남지 않을 물건을 선물하기보다 '펀드 선물하기' 운동을 전개한다면, 아이들의 경제독립과 금융교육을 동시에 충족하게 된다.

부자 되기를 진심으로 원하고 그 위에 구체적인 행동이 뒷받침된다면, 우리 세대는 물론 앞으로의 세대와 대한민국의 미래는 온 세상이 부러워할 정도로 밝다.

# 2 공부만 잘하는 아이보다 진정한 부자가 되는 아이를

## 사교육비, 우리 모두를 가난하게 만든다

사교육비의 과도한 지출. 이것이야말로 한국 사람들의 노후를 가장 어렵게 만드는 원흉이자, 우리의 금융문맹을 가장 잘 나타내는 현상이다. "우리 아이, 공부에 뒤처지면 어떻게 될까? 아마 우리 아이의 일생이 망가지고 말걸. 무슨 대가를 치르더라도 그것만큼은 막아야 해." 이런 걱정에 짓눌려 돈은 돈대로 쓰고 아이는 아이대로 학원 교육에 질식해버리는 우리만의 기이한 현상, 정말 왜 바뀌지 않을까?

"오로지 공부를 잘해야 한다. 옆집 아이에게 지면 안 된다. 일류 대학에 들어가야 성공한 거다. 창업이 무슨 잠꼬대냐, 좋은 직장 얻어 안정된 수입이 있어야만 제대로 사는 인생이다." 이처럼 그릇된 강박관념과 그로 인해 노후자금까지 기꺼이 탕진하는 한국의 문화. 전 세계 어디서도 찾아보기 힘든 집단심리가 아닐까. 금융문맹은 질병이고 악성 전염병이다. 수십 년에 걸쳐 늘어나기만 해온 사교육비 지출을 보면, 한국이 금융문맹이라는 전염병을 심각하게 앓고 있음을 개탄하지 않을 수 없다.

공부다, 일류 대학이다, 높은 급여다, 안정된 일자리다, 등등의 강박도 결국 무엇이 목적일까? 자녀가 경제적으로 성공하기를(궁핍하지 않고 돈 많이 벌기를) 바라는 마음에서 비롯된 것 아닐까? 그렇다면 한 번쯤 계산이라도 해보는 게 좋지 않을까? 막대한 사교육비 지출 대신 아이를 위해 그 돈을 투자한 경우와 반대로 앞뒤 안 가리고 사교육에만 돈을 퍼부은 경우, 그 아이들의 경제력에는 어떤 차이가 생길까? 당연히 전자의 경우, 훨씬 더 많은 부를 축적할 수 있다.

내 아이가 다른 애들에 혹시 뒤처지면 어쩔까, 하는 걱정을 FOMO

(Fear of missing out)라고 부른다. 이런 걱정은 정당화하기 어렵다. 금융 지식이 부족해서, 금융문맹에서 벗어나지 못해서, 행여 아이가 공부에 뒤처질까 봐 끔찍하게도 과도한 사교육비를 지출하는 것이다. 이건 질병이고 지독한 악성 전염병이다. 도리어 아이의 경쟁력을 말살시키고 본인과 후세를 빈곤에 빠뜨리는 어리석음이다. 수입도 그리 많지 않은데 온갖 과목 선행학습 하랴, 조기유학 보내랴, 과외 시키랴, 등골 휘는 젊은 부부들의 모습, 너무 마음이 아프다. 노후에 찾아올 빈곤이 명백히 보이기 때문이다.

당장 사교육비를 투자로 전환해야 한다. 사교육비를 끊는다고 우리 아이 성적이 내려가지 않는다. 또 성적이 좀 내려간들 하늘이 무너지는 것처럼 걱정할 일이 아니다. 공부 성적과 경제적으로 풍요한 라이프 사이에는 또렷한 상관관계가 없기 때문이다.

억지로 하는 공부에 억눌리고 찌들어서 1등을 한들, 아이의 얼굴에 맑고 밝은 진짜 미소가 떠오를까? 오히려 아이가 진심으로 행복해하는 모습이야말로 더 소중한 보물이 아니겠는가. 우리 아이들을 강요된 공부, 마음에도 없는 수업으로부터 풀어주자. 1년에 사교육비로 들어가는 돈이 30조 원(!)에 달한다고 한다. 차라리 이 돈이 우리 아이들의 창업자금으로 쓰인다면 얼마나 좋을까. 우리 부모님들의 금융문맹은 아이들을 가난하게 만든다.

표6 : 아이가 태어난 날부터 투자를 시작해야 하는 이유

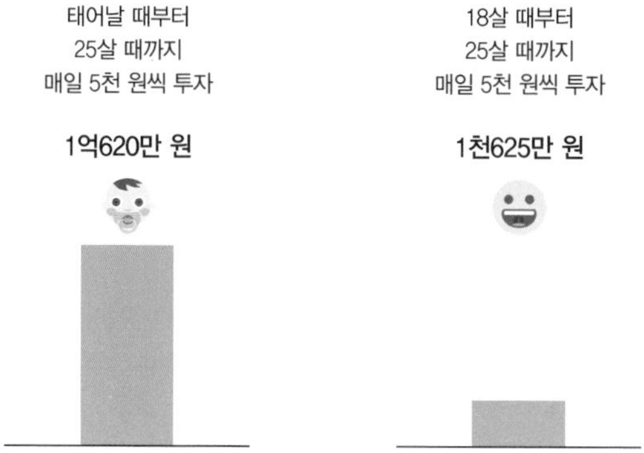

태어날 때부터
25살 때까지
매일 5천 원씩 투자

**1억620만 원**

18살 때부터
25살 때까지
매일 5천 원씩 투자

**1천625만 원**

우리 아이들을 시험만 잘 치는 기계로 만들 게 아니라, 경쟁력 있는 부자로 만들어야 한다. 평범한 월급쟁이로 키워, 평생 자신이 정녕 원하는 것은 못 하고 남이 시키는 일만 하는 아이로 키울 것인가? 적어도

교육에 있어서만큼은 생각의 혁명이 절실하다. 학업성적에 짓눌려 있는 우리 아이들을 훨훨 날도록 해방해주어야 한다. 아이들은 창백한 얼굴로 학원에만 붙어 있을 게 아니라, 갖가지 스포츠를 즐기고 상상력을 펼치며 남과 더불어 사는 것을 배워야 한다. 미국에는 의사나 변호사, 혹은 특정직 공무원을 위한 기본적인 시험은 있지만, 모든 사람이 치르는 공무원 시험이라든지 취직시험은 존재하지 않는다. 사람의 능력은 각양각색으로 많은데, 시험 잘 보는 것만으로는 개인의 진정한 능력을 측정할 수 없기 때문이다.

그뿐인가, 우리의 아이들은 바로 대한민국의 미래를 고스란히 짊어질 사람들이다. 자신이 정녕 원하는 일을 할 수 있도록 그들을 북돋우고, 큰 부자가 되기를 부끄러워하거나 망설이는 게 아니라 당당하게 희망하고 추구하는 인재로 키워주어야 한다. 한민족도 유대인도 모두 다 온세상이 부러워할 정도로 교육열이 높은 민족이라 했다. 하지만 유대인은 아이들을 여유만만한 부자로 키워내는 반면, 한국인들은 아이들을 겨우 시험 잘 치는 기계로 만들어내고 있다. 한국의 교육제도, 정말이지 전면적인 수정과 개선이 필요하다. 아이들을 부자로 만드는 교육을 지향해야 한다.

아이들을 부자로 만들려면 어떻게 해야 하겠는가? 결국, 어렸을 때부터 돈(부)의 중요성과 자본주의의 핵심을 가르쳐주고, 하루라도 빨리 투자를 시작하게끔 도와주며, 이를 위해 끈질기게도 잘못 쓰이고 있는 돈, 즉, 사교육비를 아이들의 투자자금으로 전환해야 한다. 또 아이들과 더불어 자연스럽게 돈이나 투자에 관하여 대화하는 분위기를 조성하며, 어린 나이일 때부터 투자 결정을 내릴 수 있도록 옆에서 도와주어야 한다. 적은 금액이라도 이처럼 일찌감치 투자해놓으면 아이가 클 때까지 제법 오랜 기간 상당히 커질 것이며, 이렇게 불어난 자금을 아이들이 창업자금으로 쓸 수 있도록 해주어야 한다. 이렇듯 우리 아이들을 부자로 만들고 부모 세대가 이루지 못한 '금융문맹 탈출'을 이룩하는 것은, 바로 사교육비를 없애는(혹은 대폭 줄이는) 것으로부터 시작된다.

# 존 리의 전 국민 부자 만들기

Q 펀드에 투자해도 주식만큼 오를 수 있나요?

주식이 올라가면 주식에 투자한 펀드도 당연히 올라가는 겁니다. 게다가 펀드는 분산되어 있어서 위험이 더 적다고 할 수 있어요.

Q 펀드, 어떻게 시작할까요?

전 노후준비를 위해 자발적으로 가입할 수 있는 연금저축 펀드를 먼저 하라고 권합니다. 원하는 때에 원하는 만큼의 금액을 5년 이상 적립하고, 만 55세 이후 10년 이상 분할해서 연금으로 수령하는 제도이거든요. 또 400만 원까지 투자했을 경우 손해를 보더라도 60여만 원은 돌려주는 유리한 제도이기도 합입니다.

Q 연금저축 제도가 어떤 건지 궁금합니다.

연금저축이란 것은 정말 좋은 제도예요. 한 사람당 해마다 최대 1,800만 원까지 넣을 수 있고, 그중에서 400만 원(50세 이상의 경우 600만 원) 납입분까지 13.2~16.5%를 세액공제를 받을 수 있습니다.

평범한 직장인이라면 1,800만 원까지는 어려울지 몰라도 400만 원은 충분히 채울 수 있는 금액입니다. 이렇게 좋은 혜택이 있는데, 안 하는 게 오히려 이상한 거 아닌가요? 월급이 적다는 건 핑계에 불과합니다. 매일 커피값만 아껴도 충분히 가능해요. 커피값 아껴서 부자가 될 수 있다고 생각합니다.

Q IRP는 무엇인가요?

퇴직금을 근로자 명의의 퇴직 계좌에 적립해 연금 등 노후자금으로 활용하는 '**개인형 퇴직연금**'을 IRP(individual retirement pension)라고 합니다. 2012년 근로자퇴직급여보장법이 개정되면서 새롭게 도입된 제도로서, 누구나 가입할 수 있고 적립한 돈은 예금 · 펀드 · 채권 · 주가연계증권(ELS) 등 다양한 상품에 투자할 수 있지만, 주식형 펀드에는 투자금의 70%까지로 제한되어 있어요. 퇴직연금에 가입했던 근로자가 회사를 옮기면 일시에 퇴직금을 받는데, 이 퇴직금은 자동적으로 IRP로 전환됩니다.

# 3 언제까지 취업에만 목을 맬 것인가?

미국이나 중국의 경우, 대학생들에게 직업 선호도를 물어보면, 약 40% 이상이 창업을 원한다고 한다. 이스라엘은 무려 90%에 달한다고 한다. 그 결과, 미국 나스닥에 상장된 기업의 면면을 살펴보면, 미국과 중국 기업이 다른 나라에 비해 월등히 많다. 그리고 그 뒤를 잇는 기업들은 우리나라보다 훨씬 덩치 작은 나라 이스라엘의 기업들이다.

표7: 중국에 부는 창업 열풍

중국의 창업 열풍

◆ 한국, 중국, 일본 대학생의 창업 희망도 차이

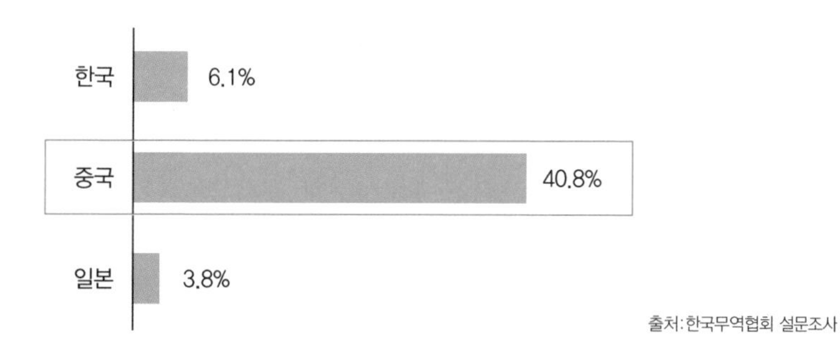


출처:한국무역협회 설문조사

◆ 2016년 한국, 중국 신규 창업 기업 수 비교

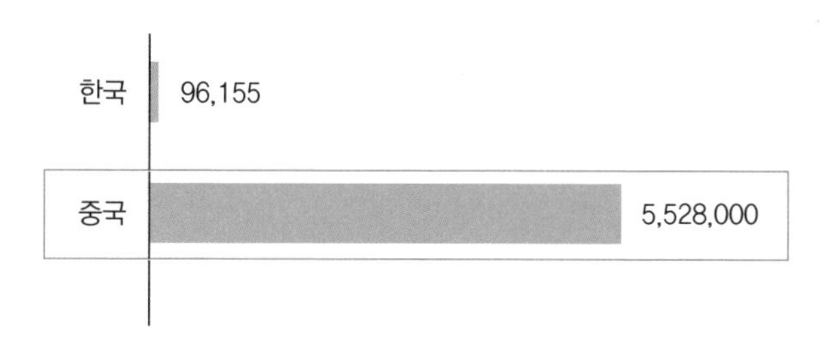


출처:중국공상총국

안타까운 일이다. 한국이야말로 창업하기에 가장 적합한 환경을 갖고 있지 않은가. 인터넷 보급도 최고 수준인 데다 그 속도도 전 세계에서 가장 빠르다. 게다가 우리나라 사람들은 부지런하고 영리한 두뇌의 소유자들이다. 그런데 위험을 지나치게 회피한다는 게 문제다. 그렇게 된 역사적 배경이나 유교의 영향 등은 이 자리에서 논할 일이 아니지만, 아무튼 창업은 위험하다는 고정관념만큼은 벗어던져야 한다.

마찬가지로 애석한 일이지만, 한국(과 이웃 나라 일본)의 국민 가운데 창업을 원하는 비율은 고작 5~6%정도에 그치고 있다. 학생들 대부분이 공무원이나 대기업에 취업하는 것을 '이상적'으로 생각하여 최우선으로 선호한다. 이 경우의 경제적인 보상을 고려할 때 그리 좋은 선택이 아님에도, 젊은이들의 생각은 대부분 그러하다.

표8: 한국인의 직업 선호도

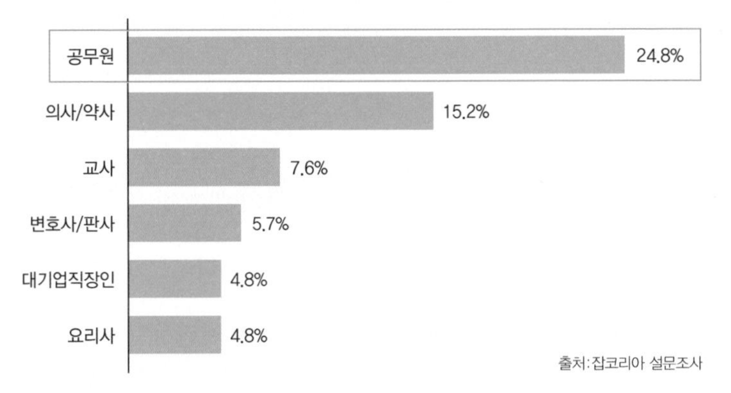

학원에서 늦은 밤까지 (상당 부분 기계가 대신할 수 있는) 국-영-수에 몰입하는 대신, 엄청난 부자가 될 수 있는 상상력을 키우는 편이 우리 아이들에겐 훨씬 더 이로운 일이다. 옛날과 달라서 우리나라에서는 한번 흙수저이면 금수저가 될 수 없다고들 말한다. 하지만 나는 오히려 그 반대라고 생각한다. 옛날에는 흙수저가 금수저 되기 참 힘들었지만, 오늘날에야말로 흙수저가 금수저 되기도 흔한 세상이다.

주식시장에 상장된 기업 중 아버지로부터 물려받은 기업가들의 시가총액 비중은 앞으로도 점점 줄어들 것이다. 새로운 아이디어와 생각으로 큰 기업을 이룬 사람들이 중국이나 이스라엘처럼 많이 나와야 할 것이고, 또 그런 추세가 될 것이다. 다만 그렇게 되기 위해서는, 다시 강조하거니와, 지금의 교육시스템에 근원적인 개혁이 필요하다. 아이들을 강요된 공부로부터 해방하고 정말로 좋아하는 일을 하게 만들어주자. 이것이 우리 후손들 자신들뿐만 아니라, 국가 차원에서도 한국이 일본의 실수를 답습하지 않는 길이다.

## 자본가 vs 노동자

대한민국은 자본주의 국가다. 그런데 사람들은 대체로 '자본주의가 나하고 어떤 관계가 있는가'에 대해서는 별로 생각이 없다. 그런 걸 어렸을 때부터 학교에서도 잘 가르쳐주지 않다 보니, 그냥 공부만 열심히 하면 다 잘 될 거라고 생각한다. 그래서인지 자본주의에 대한 깊은 고민도 별로 하지 않는 것 같다.

여러분은 자본주의가 뭐라고 생각하는가?

자본주의에서는 크게 두 가지 종류의 사람이 있다. 하나는 자본가, 또 하나는 노동자다.

자본가가 하는 일은 자본을 제공하고 노동력을 구매해서, 물건을 만들거나 아니면 서비스를 제공하여 돈을 버는 것이다. 반면, 노동자는 자신의 노동(시간)과 기술 등을 자본가들한테 제공하고, 그 대가를 받는 사람이다.

자본주의 시스템에서는 자본을 통한 부의 축적이 노동을 통한 부의 축적보다 훨씬 빠르다. 그러므로 부자가 되기 위해서 누구나 자본가가 되기를 희망한다면, 이는 당연하다고 봐야 할 일이다.

나는 한국에 돌아와서 사람들이 자본가와 노동자 중 반드시 한쪽만 선택해야 한다고 인식하는 모습이 아주 신기하게 느껴졌다. 왜 그 둘을 동시에 할 수 있는 방법은 생각하지 않을까? 자본가이면서 노동자도 될 수 있고, 노동자이면서 자본가도 될 수 있다. 나는 그 연결고리가 주식이라고 생각한다.

예를 들어 내가 한 회사의 직원이라면 노동자로서 꾸준히 내 시간과 노동력을 제공하지만, 반대로 주식을 소유할 때는 자본가의 역할도 하는 것이다. 그런데 사람들이 대부분 자신은 노동자니까 노동자의 길만 가려고 한다든지, 자본가니까 자본가만 되겠다고 버티니 갈등이 생길 수밖에 없다.

주식 및 자본주의에 대한 이해는 아무리 강조해도 지나치지 않는다. 그래서 어렸을 때부터 주식과 친근해지도록 교육하고, 자본주의를 제대로 깨닫고 자본가가 되려고 하는 노력도 동시에 필요하다고 본다. 자본주의하에서는 자본가가 아닌 사람들에게 그들도 자본가가 될 수 있음을 가르쳐야 하고, 그렇게 해야만 경제독립을 이룰 수 있다는 사실을 알려주어야 한다. 여기서 정부의 역할이 중요하다. 개인들이 주식을 소유하지 않고서는 빈부의 격차가 더욱 벌어질 수밖에 없다. (미국의 경우, 저소득층이 주식을 보유하게 되면 양도소득세를 면제해주거나 낮추어줌으로써 저소득층의 주식투자를 장려하고 있다.) 아울러 부동산에 쏠리는 거대한 자금이 주식시장으로 들어올 수 있도록 기존 제도의 획기적인 보완이 필요하다.

우리나라도 선진국처럼 아이들에게 어렸을 때부터 이렇게 가르쳐야 한다. "창업을 꿈꾸라!" "자본가가 되라!" 물론 창업이 아닌 취직의 길을 선택할 수도 있다. 하지만 안전하게 취직을 했다고 하더라도 주식을 소유한다면, 동시에 자본가가 될 수도 있다는 점을 명심하라. 자본과 노동의 관계를 잘 이해하면 여러분 모두 경제적인 독립을 이룰 수 있다고 확신한다.

## 빈부격차가 심해지는 이유?

국민의 10%가 배당소득 전체의 95%를 가져간다는 통계가 어떤 뉴스에 나온 적이 있다.

나는 그 내용을 보고 빈부의 격차는 더 벌어질 수밖에 없다고 느꼈다. 그것은 10%의 사람들이 생산수단을 전부 소유하고 있다는 뜻이고, 그들의 부는 계속 늘어나지만, 나머지 90%의 부는 계속 줄어들 수밖에 없다는 말이기 때문이다. 다시 이야기하면, 국민의 10%만이 자본가이고 90%는 노동자라는 것이다.

그렇다면 여러분은 어떤 위치를 선택하겠는가? 자본가가 될 것인가, 아니면 노동자가 될 것인가? 사람들은 대부분 10% 안에 들어가려고 노력한다. 그러기 위해서는 생산수단을 공유해야 한다.

미국의 경우를 한번 보자. 개인은 자신의 직업이 회사원이라 하더라도, '주식은 꼭 소유해야 하는

*스톡 옵션(stock option) : 기업이 임직원에게 자기 회사의 주식 일정 수량을 일정한 가격으로 (통상 액면가 또는 시세보다 훨씬 낮은 가격으로) 매수할 수 있는 권리를 부여하는 제도로, '주식매입선택권'이라고 한다. 임직원은 이렇게 매수한 주식을 매각함으로써 상당한 차익금을 남길 수 있기 때문에, 사업 전망이 밝은 기업일수록 스톡 옵션의 매력은 높아진다. 그러므로 벤처기업이나 스타트업 뿐 아니라 기존 기업들도 유능한 인재를 확보하거나 임직원의 근로 의욕을 높이는 수단으로 활용한다. 한국에서는 1997년 4월에 이 제도가 도입된 뒤 벤처기업을 중심으로 급속히 퍼져나갔다.

것'으로 여긴다. 또 회사에서도 직원들에게 스톡 옵션*을 부여해서 자본가가 될 기회를 주고, 노후준비를 돕는다. 노동자로 일하더라도, 비록 월급쟁이일지라도, 스스로 어떤 기업의 주인이 될 수 있도록 연습을 하는 것이다.

여러분은 10%의 부자 대열에 끼고 싶은가, 아니면 90%의 궁핍한 대열에 속하고 싶은가? 주식투자는 자본가가 되고 싶다면 반드시 해야 하는 일이다.

# 존 리의 전 국민 부자 만들기

Q 연금저축보험과 연금저축펀드의 차이점은 무엇인가요?

연금저축보험은 오랜 기간이 지난 후에도 원금은 어느 정도 보장되지만, 이자율과 연계해서 연금이 지급됩니다. 세금혜택도 마찬가지로 있지만, 초기 수수료가 비싸고 기대수익이 낮습니다. 이에 비해 연금저축펀드는 원금을 보장해주지는 않지만 수수료가 저렴하고, 주식과 채권에 장기 투자함으로써 수익율을 높일 수 있습니다. 예외가 있긴 하지만, 연금저축보험을 연금저축펀드로 전환하는 것이 옳다고 생각합니다.

Q 퇴직연금을 주식에 투자해야 한다고 하셨는데, 마지막 노후자금에 손실이 생기면 어떡하죠?

제가 봤을 때 퇴직연금은 수십 년 장기로 투자하기 때문에 손실을 볼 가능성은 별로 없습니다. 오히려 큰 수익을 낼 가능성이 훨씬 크죠. 반대로 '30년 뒤에 원

금 보장'이라는 말은 그때가 되면 물가가 올라 있을 테니, 돈의 가치는 오히려 줄어들게 되어 있습니다. 만약 퇴직연금이 마지막 보루라면 더더욱 돈이 나를 위해 일하게 해야 하죠.

Q 최근 ETF 투자가 상당히 많이 늘었는데, ETF 투자는 어떤가요?

ETF는 여러 가지 투자 방법 중의 하나입니다. 하지만 한국 시장에는 적합하지 않을 수 있습니다. ETF는 효율적인 시장에 적합하다고 생각하는데, 한국은 비효율적인 시장이거든요. 효율적이지 않은 시장이란 주식의 가격이 형성될 때, 그 과정이 가치를 충분히 반영하고 있지 않다는 말이에요. 아직도 사람들이 대부분 단기적으로 투자하는 시장은 그다지 효율적인 주식시장이 아닙니다. 이런 비효율적인 시장에는 ETF보다는 개별 종목에 투자하는 것이 오히려 좋다고 생각해요.

Q 한국 주식과 미국 주식의 투자 비중은 어떻게 정해야 하나요?

어떤 주식이 더 좋다고 단정할 수는 없습니다. 본인의 선호도에 따라 정하면 된다고 생각해요. 특별히 한 곳에만 투자할 필요는 없습니다. 다만, 어느 쪽이든 분산해서 투자해야 해야겠지요.

# 4 집을 반드시 소유해야 한다는 강박관념

## 주식인가, 부동산인가?

부동산과 주식 중 어느 것에 투자하는 편이 좋을까?

많은 사람이 관심을 두고, 궁금해하는 주제다. 그런데 높은 관심도에 비해, 사람들은 이 투자 대상에 대한 정확한 지식을 가지고 있는 것 같진 않다.

우선 주식에 투자하는 이유를 설명하는 가장 중요한 단어는 '확장성', 즉 성장이다. 가령 당신이 어떤 사업을 시작했다고 하면, 시간이 지나면서 매출이 늘어나지 않겠는가? 사업은 매출을 만들어내고 이익을 극대화하는 것이란 믿음을 가지고 투자하는 것이다. 여러분이 커피숍을 시작했다고 가정해보자. 처음에는 가게 하나로 출발하지만, 시간이 지나면서 5개, 10개, 20개로 점점 늘어날 수 있다. 스타벅스도 처음에는 점포 하나로 시작했지만, 프랜차이즈로 확장하다 보니 이제는 전 세계에 없는 곳이 없을 정도다. 만약 일찌감치 스타벅스에 투자했다면 엄청나게 큰돈을 벌었을 것이다. 이것이 바로 주식에 투자하는 이유다.

반면에 부동산은 그런 확장성이 없다. 30년 전에 50평짜리 부동산을 샀다고 하면, 30년을 기다린다고 100평, 200평이 되지는 않는다. 다만 부동산 '가격'은 오르는데, 그 이유는 뭘까? 여러 가지 이유가 있겠지만, 그중 하나는 인플레이션이다. 월세가 올라가니, 그에 따라 부동산 가격도 올라가게 되어 있다. 또 하나 부동산으로 돈을 버는 이유는 '레버리지(지렛대) 효과'다. 예를 들어 1억 원짜리 아파트를 살 경우, 전액을 자기 호주머니에서 내는 게 아니라 일부를 은행에서 빌린다. 1억 원 중 50%인 5천만 원은 자신이 가지고 있는 돈이고, 은행에 5천만 원을 빌렸다고 가정해보자. 그 1억 원짜리 아파트가 2억 원이 되면 100% 오른 것이지만, 사실은 자기 돈 5천만 원으로 1억 원을 벌었으므로 수익률은 100%가 아닌 200%라고 볼 수 있다. 그래서 사람들은 부동산 가격이 많이 올라가면 주식보다 큰돈을 벌었다고 생각한다.

하지만 반대의 경우도 있다. 여태까지 한국은 인구가 계속 늘어나고 경기가 확장되었기 때문에 부동산 가격이 올라갔지만, 만약 거꾸로 된다면 어떻게 될까? 반대 방향의 '레버리지 효과'로 인해 내 재산이 더 빨리 줄어들 것이다. 어쨌거나 '좀 참고 기다리면 부동산 가치는 결국 올라간다'는 대다수 사람들의 믿음은 확고해 보인다. 하지만 부동산에 투자할 돈을 주식에 투자해놓고 기다리면 훨씬 더 많은 돈을 벌 수 있으리라고는 생각하지 못한다.

아래 표에서 보듯이 20년 동안 주식에 투자했다면, 여러 면에서 부동산에 투자한 경우보다 훨씬 더 유리하다. 한국의 부동산투자는 또 하나의 커다란 위험을 초래할 수 있다. 그러니까, 개인의 재산 중 약 75%가 부동산에 치중되어 있다는 사실이다. 가까운 일본의 예를 보라. 인구의 변화로 인해서 부동산 가격은 꾸준한 하락을 경험하지 않았던가. 한국 또한 그렇게 될 수 있다는 가능성을 항상 염두에 두어야 한다. 투자 자산 중 부동산 비중은 현저히 낮추어야 한다.

표9 : 20년간 부동산투자 및 주식투자 수익률 비교

| 구분 | 투자수익률 |
|---|---|
| 주택종합매매가격지수(한국감정원 통계) | 100.21% |
| 종합주가지수(KOSPI) | 241.80% |

(비교 기간 : 2000년 8월 ~ 2020년 8월)

## 내 재산에서의 비중을 판단하자

그래서 부동산과 주식 중 어디에다 투자할지를 결정할 때, 자신의 재산 중 부동산과 주식의 비중을 판단할 필요가 있다. 일본은 이런 이해도 없이 주식을 '투자해선 안 될 것'으로 인식해 재산의 80%를 예금이나 부동산에 넣는 잘못을 저지른 케이스다. 그런데 한국을 포함한 대부분 자본주의 나라에서는, 장기적으로 보면 주식이 훨씬 더 많이 오르게 되어 있다. 기업은 계속 이익을 창출하려고 노력하기 때문이다. 부동산은 20~30년 투자해서 3~4배가 되었다는 이야기를 많이 들을 테지만, 같은 기간 동안 부동산보다 훨씬 더 많이 오른 주식들이 허다하다. 장기 투자했을 경우 1만%에서 500만%까지 오른 경우를 적지 않게 발견할 수 있다.

다만 주식은 단기간 내 가격의 변동성이 있으므로, 주식과 부동산 사이의 적절한 배분에 대해서는 신중한 판단이 필요하다.

보통 "주식 비중=100－내 나이"로 생각하면, 대체로 무난할 것 같다. 예컨대 내 나이가 50이라면 주식 비중은 100-(50세)=50%, 즉 재산의 50%가 주식이나 주식형 펀드에 투자되어야 한다는 이야기다.

온 나라가 부동산 때문에 시끄럽다. 미처 내 집을 마련하지 못한 젊은 층은 부동산 가격의 터무니없는 상승에 처절히 분노하고 있다. 하지만 한 가지 신기한 사실이 있다. 누구나 다 집을 사야 한다고 믿는다는 점이다. 월세로 사는 방법은 왜 생각조차 안 할까? 집을 사는 것과 월세로 사는 것을 왜 비교하지 않을까? 특히 집을 사야 한다고 믿는 사람들은 먼저 집을 소유해야 안정적인 삶을 얻을 수 있다고 생각하는 것 같다. 게다가 월세는 버리는 돈이지만 집을 사서 은행 융자를 다 갚고 나면 내 집이 되기 때문에, 집을 사는 편이 당연히 유리하다고 믿는다. 한 발 더 나아가 집이 없으면 남들 보기에 초라하다고 느끼는 문화도 한몫한다. 또 부동산 가격은 항상 오를 거라는 확신도 크게 작용하는 것 같다. 하지만 내가 한국에 살면서 느낀 점은, 대부분 지역에서 월세가 훨씬 유리하다는 사실이다. 집값이 터무니없이 비싸기 때문이다. 집을 꼭 구매해야 한다는 편견에서 벗어나 월세로 사는 것과 집을 구입하는 것을 비교해보자.

먼저 집을 사는 경우 들어가는 비용을 대략이라도 계산해보자. 가령 10억 원짜리 아파트라고 했을 때, 50%를 은행 융자를 얻는다면 나머지 50%인 5억 원의 초기 자금이 우선 필요하다. 5억 원의 융자를 연 4% 이자율로 20년 동안 분할상환하는 경우, 원리금 상환으로 해마다 최고 4,200만 원가량을 지불해야 한다. 그 위에 각종 세금, 중개수수료, 수리비 등의 비용이 추가된다. 또 자기 자금으로 투입한 5억 원을 다른 용도로 쓸 수 없어서 놓치는 수익이 기회비용으로 들어간다. 그 자금을 주식이나 채권에 투자하여 5%의 수익을 올릴 수 있다고 가정해서 기회비용을 산정했을 때, 집을 구매하기 위한 1년치 비용은 대략 다음과 같다.

| | |
|---|---|
| 은행이자(4%) | 2천만 원 |
| 기회비용(5%) | 2천5백만 원 |
| 세금 등 기타비용 | 1천만 원 |
| 합계 | 5천5백만 원 |

반대로 10억 원에 집을 사는 대신 월세로 입주하면 어떻게 될까?

월세가 200만 원이라고 가정하면, 연 2,400만 원의 비용이 들 뿐이다. 집을 매입했을 때 해마다 들어가는 비용이 5,500만 원인 것에 비해 3,100만 원이나 저렴하다. 이렇게 절약한 돈을 주식 등에 투자하는 편이 훨씬 유리하다. 물론 월세가 500만 원을 넘는다면, 반대로 집을 사는 것이 유리하다. 나라에 따라 세금도 다르고 비용도 다르지만, 쉽게 계산할 수 있는 '5% 룰'이란 게 있다. 집 가격의 5%가 1년치 월세보다 훨씬 적다면 집을 사는 편이 유리하다는 법칙이다. 반대로 계산할 수도 있다. 월세가 100만 원이라고 가정하면, 100만 원×12÷5%=2억 4천만 원 정도가 적절한 집 가격이라고 생각할 수 있다.

한국의 부동산 가격은 월세와 비교했을 때 도저히 설명하기 힘들다. 반드시 집을 사야 한다는 강박관념에서 벗어날 필요가 있다. 특히 신혼부부의 경우, 반드시 집 장만부터 선행되어야 한다는 뿌리 깊은 편견에서 벗어나야 한다. 적이도 '월세와 매입 중 어느 편이 더 유리한가'는 꼭 따져볼 줄 알아야 한다. 과거 20년 동안 일본의 부동산은 끊임없이 하락을 경험했다. 우리도 '부동산 불패'의 편견에서 벗어나야 한다. 부동산 가격의 상승이 너무 가파르다고 다들 걱정하지만, 오히려 머지않아 부동산의 폭락을 걱정해야 할지 모른다.

## 노후준비와 자산 증식을 위한 여러 가지 투자 대상

기왕에 주식투자와 부동산투자를 비교해보았으니, 다른 투자자산에 대해서도 잠시 생각해볼 필요가 있을 것이다. 투자를 할 수 있는 자금이 생겼을 때, 우리는 주식과 부동산 이외에도 채권을 살 수도 있고, 달러나 엔 같은 외화에 대한 투자도 고려할 수 있으며, 안전자산으로 손꼽히는 금이라든지 (전문지식을 갖춘 경우라면) 원유를 비롯한 각종 원자재뿐만 아니라 금융기관들이 고안해내는 파생상품까지도 투자 대상으로 생각해볼 수 있다.

그러나 주식투자는 다른 어떤 투자자산과 비교해보더라도, 단연코 금융문맹 탈출의 실마리가 되는 우월한 투자 행위다. 그것은 (1) 우선 경제주체인 국내 기업들의 지속 성장을 위해 그들의 파트너(동업자)가 된다는 점에서 근원적으로 탁월한 긍정 효과를 가지며, (2) 투자자

개인을 위해서도 장기간에 걸쳐 압도적으로 높은 수익률을 가져다줌으로써 '쉬지 않고 나를 위해 일해주는' 투자자산이 되어주기 때문이다.

특히 수익률에 관해서는 몇 마디 말로 설명하기보다 아래의 표를 한번 들여다보면, 주식투자가 다른 자산에 대한 투자에 비해서 얼마나 유리한지를 금세 이해할 수 있을 것이다. 1982년부터 2012년에 이르는 30년의 기간 동안 투자자산에 따른 누적 수익률을 비교해놓은 표다.

표10: 국내 투자자산별 누적 수익률 (1982년~2012년)

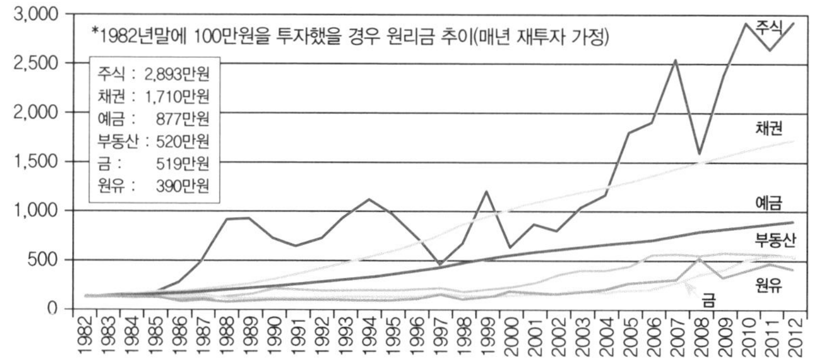

*1982년말에 100만원을 투자했을 경우 원리금 추이(매년 재투자 가정)

주식 : 2,893만원
채권 : 1,710만원
예금 : 877만원
부동산 : 520만원
금 : 519만원
원유 : 390만원

자료 : 한국거래소

# 존 리의 전 국민 부자 만들기

**Q** 한국 주식이 오랜 시간 박스권에 머무를 동안, 미국 주식은 계속 상승한 것을 보면 미국 ETF에 투자하는 것이 유리하지 않을까요?

한국 주식이 안 올랐다는 건 앞으로 오를 여지가 더 크다는 의미도 됩니다. 한국 주식이 가격 면에서 훨씬 더 매력적입니다.

**Q** 부동산이 주식보다 유리하지 않나요?

아니, 주식이 절대적으로 유리합니다. 30년을 놓고 보면 주식이 훨씬 많이 올랐어요. 사람들이 착각하는 거죠. 보통 부동산은 오래 갖고 있으니까 올라가는 게 보이지만, 주식은 오래 가지고 있지 않고 샀다 팔았다 하는 경우가 많다 보니 손해 보는 것처럼 보이는 거예요. 똑같은 기간, 똑같은 금액을 보유하고 있었다면, 주식이 훨씬 많이 올랐을 거예요.

예를 들어, 1998년에서 2018년까지 전국에 있는

아파트 가격이 168% 올랐습니다. 강남의 경우 좀 더 많은 238% 올랐고요. 그렇다면, 같은 기간 동안 코스피는 어땠을까요? 종합지수가 343에서 2,300이 됐습니다. 무려 568% 오른 겁니다.

그뿐만이 아닙니다. 개별 종목을 들여다보면 주식 투자가 더 유리하다는 사실이 더욱더 확연히 드러납니다. 아래의 그래프를 한번 볼까요? 몇몇 우리나라 기업의 주가는 2000년부터 2020년 8월 28일까지의 약 20년 동안 적게는 2,000%, 많게는 18,000% 정도씩이나 올랐음을 알 수 있지요. [단, 휴켐스는 2002년 12월부터, LG화학은 2001년 12월부터, 네이버는 2002년 10월부터, 아모레퍼시픽은 2006년 6월부터 기록된 주가 상승입니다.]

표11: 한국 주요 기업 주가 상승률 (2000년~2020년)

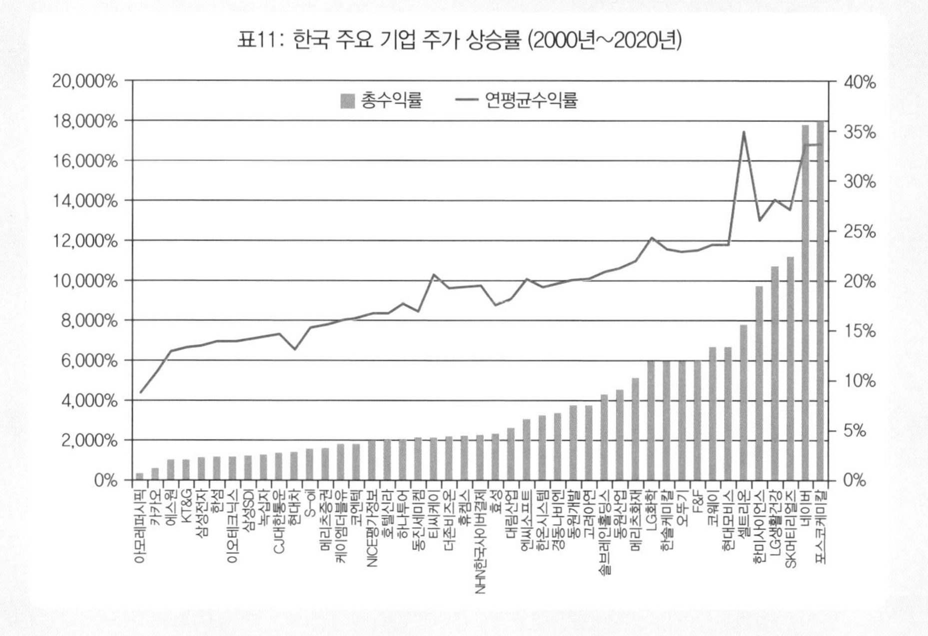

## 좋은 빚 vs 나쁜 빚

저는 주식 투자를 정말 하고 싶은데, 빚이 좀 있거든요.
그럼 빚을 다 갚고 나서 하는 게 좋을까요, 아니면 계속 빚을 갚아 나가면서도 주식투자도 동시에 하는 게 좋을까요?
재미난 질문이네요. 나쁜 빚이 있다면 그 빚을 갚는 것이 우선입니다. 그런 경우가 아니라면, 빚도 줄여나가면서 투자도 동시에 시작해야 한다고 생각합니다.

그런데 여기에서 한 가지, 어떤 빚을 갚는지가 중요합니다.
저는 빚은 좋은 빚과 나쁜 빚, 두 가지 종류가 있다고 생각하거든요.
좋은 빚…?
웅얼 웅얼
나쁜 빚…?
좋은 빚은 내 재산을 형성하기 위해 지는 빚이죠. 예를 들어 살고 싶은 집을 사기 위해서 은행에서 융자를 받는 것은 좋은 빚입니다. 반대로 외제 차를 사기 위한 대출은 나쁜 빚이지요.
₩

왜 좋은 빚이에요?
내 자산을 늘리기 위해서 진 빚이니까요. 또 대부분 부동산 담보로 빌린 것이기 때문에 이자율도 상당히 저렴할 테고요. 그래서 저는 그런 것은 좋은 빚이라고 생각합니다.
하지만 비싼 물건을 사기 위해서, 또는 여행하기 위해서 빚을 지는 건 나쁜 빚이라고 생각합니다! 일단 이자율이 굉장히 높고, 내 재산을 형성하는 것이 아니라 파괴하는 것이거든요. 그래서 그런 빚은 무조건 먼저 갚아야 해요.
자괴감
내가 이러려고 외제차를 샀나…

아까 처음에 하셨던 질문에 대해
다시 정리하자면, 이자율이 높고 소비를
위해 진 빚들은 가능한 한 빨리 갚고
투자를 시작해야 한다고 보고요.
아..
아파트 같은 것을 사기 위해서
진 빚이라면 예정된 스케줄대로 갚아나가면서,
주식투자를 지속해서 해야 한다고 생각합니다.
너무나 안타까운 것은, 많은 분이
빚의 늪에서 벗어나지 못하는 것이죠.
신용카드를 사용해서 물건을 사거나,
마이너스 통장을 통해서 자금을 마련해
소비를 하는 경우가 있거든요.
CreditCard
1234 5678 9101 1121
06/15

물론 돈이 많지 않아서 어쩔 수 없는 거라고
말씀하시는 분도 있겠지만, 빚을 지는 것은
복리의 마법을 적으로 만드는 것과 마찬가지
입니다.
복리의 마법과 친구가 되어야 하는데,
그런 나쁜 빚에 시달리게 되면
노후준비는 점점 더 멀어지는 거죠.
복리의 마법이랑 친해져야 해.
하나 더 말씀드리고 싶은 것은,
주식 투자는 빚으로 하면 안 된다는 것입니다.
빚을 내서 하는 건 실패할 확률이 큽니다.
빚을 지고 투자하게 되면 빚을 갚아야 하는
절박감 때문에 장기투자를 할 수가 없죠.
그래서 주식 투자는 반드시
여유자금으로 해야 합니다!

# 존 리의 전 국민 부자 만들기

Q 월세, 전세, 혹은 집을 보유하는 것 중에 어느 편이 유리할까요?

만약에 10억 원짜리 집을 산다고 할 때, 5억 원 정도는 내 돈으로 준비하고 나머지를 은행에서 빌린다고 가정해봅시다. 은행 빚을 갚으면서 사는 게 유리할지, 아니면 5억 원을 모을 동안 그 돈으로 주식투자를 하고 월세로 사는 게 유리할지 비교해보면 답이 나와요.

우리나라는 월세가 유리한 경우가 많습니다. 월세가 저렴한 편이기 때문이죠. 집을 10억 원 주고 샀는데 20억 원으로 오르면 문제가 없겠지만, 거꾸로 8억 원이 되면 어떡하죠? 내 재산이 거기에 묶여 있게 되는 거예요. 집 살 때 진 빚을 평생 갚아나가야 하는 거죠.

Q 주식 등에 투자하는 것도 좋지만 나에게 투자하는 것도 좋은 것이 아닌가요? 여행 등을 해서 견문을 넓히는 것도 좋은 투자라고 생각하는데요.

순서가 중요합니다. 부자 되기는 눈사람을 만드는 것에 비유할 수 있습니다. 눈사람을 만들려면 우선은 눈덩어리부터 만들어야 하겠죠. 나중에 눈사람을 다 만든 후에는 여행을 가도 좋고 견문을 넓혀도 좋겠지만, 눈덩이를 만들 자금으로 여행부터 간다면 부자가 되는 것과는 멀어지게 됩니다.

Q 금이나 은에 투자하는 건 어때요?

부동산과 마찬가지라 생각합니다. 부를 축적하기 위해서는 확장성이 있어야 하는데 금, 은, 부동산은 일하고 있는 게 아니잖아요? 저는 그런 자산에는 확장성이 없다고 생각해요. 주식은 회사에서 계속 가치를 창출해내고 있으니까 확장성을 가지고 있죠. 주식 가격은 기업의 이익 창출을 통해 상승하지만, 금이나 은은 스스로 일하고 확장하는 자산이 아닙니다. 특히 적극적으로 재산 형성을 원하는 젊은이들은 금이나 은보다 주식에 투자하는 것이 좋습니다.

Q 직장인인데 아직도 제 퇴직연금이 어떻게 운용되고 있는지 잘 모르겠어요.

지금부터 반드시 알아야 해요. 퇴직연금은 DC형하고 DB형이 있는데 어떤 것이 내게 유리한지, 어떻게 투자하는지, 내가 소속한 회사가 가지고 있는 제도가 어떤 것인지 확인해야 해요.

Q 아이들에게 금융에 대해서 어떻게 교육해야 하죠?

어렸을 때부터 돈에 대해 가르쳐주고, 돈에 대해 솔직해야 해요. 아이가 가지고 싶은 장난감이 있다면 무조건 사주지 말고 용돈을 모아서 사도록 이끌어주는 것도 중요하죠. 돈을 쓰는 것뿐만 아니라 돈을 모으는 걸 가르치는 게 '돈에 대한 감각'을 알려주는 제일 좋은 방법입니다. '돈에 대한 감각'을 터득하고 나면 그다음에는 '돈에 관한 철학'을 갖도록 도와주어야 합니다. 돈을 통해서 무엇을 하고 싶은지, 무엇을 할 수 있는지, 자기만의 생각을 형성하게 만드는 거죠.

Q 진작 투자를 알았으면 좋았을 텐데 이미 나이가 60이 넘었습니다. 그래도 투자를 해야 할까요?

당연한 말씀입니다. 주식 비중을 줄일 필요는 있어도 투자는 꾸준히 해야 합니다. 통장에 들어간 퇴직금은 일하지 않은 채 쿨쿨 자고 있지만, 주식과 채권에 들어간 퇴직금은 나를 위해 계속 일하잖아요. 특히 앞으로는 인간의 수명이 늘어나기 때문에, 남은 40년의 인생 설계가 꼭 필요합니다.

Q : 연금저축 펀드에 가입하고 싶은데, 종류가 너무 많아서 어떤 걸 골라야 할지 모르겠다.

A : 나이에 따라 선택하면 된다. 젊은 사람들은 주식 비중이 큰 펀드를, 나이가 많을수록 채권의 비중이 큰 펀드를 선택하는 것이 좋다. 내가 대표로 있는 메리츠자산운용의 경우, 아이들의 주니어 펀드는 100% 주식, 젊은이들이 하는 샐러리맨 펀드는 주식 비중이 80%가량 되고 나머지는 채권이며, 나이 든 사람들이 하는 시니어 펀드는 거꾸로 채권의 비중이 높다. 예를 들어 여러분이 30대라면 100% 샐러리맨 펀드 하나만 가지고 있어도 되며, 50대라면 샐러리맨 펀드를 50~60%로 하고 나머지 40~50%를 시니어 펀드로 하면 되는 것이다. 자신이 노후준비를 할 시간이 많은지, 적은지에 따라 결정하면 된다.

Q : 코로나19 사태가 장기화하면서 증시가 폭락하자 외국인 투자자는 대규모로 한국 주식을 팔고, 국내 개인투자자들은 이에 맞서듯이 대규모로 그 주식을 사들였다. 이런 상황을 동학농민운동에 빗대 '동학개미운동'이라는 말까지 생겼는데, 좋은 현상인가?

A : 많은 사람이 주식에 관심을 두게 된 것은 좋은 현상이다. 하지만, 투자하는 것을 전투처럼 표현하는 게 신기했다. 부동산이었다면 외국인이 판 것을 내국인이 샀다고 해도 그냥 그런가보다, 하지 않는가? 그런데 주식의 경우엔 그런 걸 가지고 한국 사람이 항상 외국인한테 '당하는' 것처럼 표현하는 시각이 신기했다. 투자는 전쟁이 아니다.

외국인이 한국 주식에 투자해서 이익을 가져가는 것을 억울해하는 경우도 봤다. 주식투자는 외국인이 돈을 더 많이 버느냐, 우리나라 사람이 돈을 더 많이 버느냐, 따위의 경쟁이나 대결 구도가 아니다. 좋은 주식의 가격이 많이 떨어졌으니까 사고 싶어서 산 것일 뿐, 그걸 외국인이 팔건 다른 국내기관이 팔건 무슨 의미가 있단 말인가. 그 회사의 펀더멘털에 아무런 문제가 없다면, 가격이 유리해져서 사는 것, 그 이상 그 이하도 아니어야 한다.

Q : 주식시장이 하락장일 때도 꾸준히 매입하는 게 좋을까?

A : 내가 항상 강조하는 것이 투자 '타이밍'에 전전긍긍하지 말고 월급의 일

정 부분을 꾸준히 적립식으로 투자하라는 요지다.

오늘 100만 원을 투자했는데, 내일 보니까 5% 떨어졌다면 당장은 손해 본 느낌이 들 수 있다. 하지만 그것은 숫자에 불과하다. 거꾸로 그 투자금이 110만 원이 되면 기쁘겠지만, 역시 그런 것 때문에 좋아할 필요도 없다. 어차피 그 주식은 노후에 60세쯤이나 되면 찾을 테니까. 여러분이 마흔 살이라면 꾸준하게 투자해온 자금이 20년 후에는 아주 큰 금액으로 커져 있을 테니까, 단기간의 등락은 그리 중요하지 않다.

Q : 이제부터 투자하려고 마음먹었는데, 글로벌 주식이 폭락하는 상황이 벌어졌다. 그럴 때는 불안정한 상황이 끝난 다음 투자하는 것이 좋을까, 지금 당장 투자해야 할까?

A : 지금 투자할 여력이 있다면 당장 해야 한다. 빚내서 투자하지 말고, 잘못된 소비를 투자로 바꿀 수 있는 만큼만 투자하라. 이번 코로나19 문제로 경제 위기를 느끼면서 사람들이 증권계좌를 많이 열었다고 하는데, 주식투자에 주의를 기울이는 계기가 됐으면 한다. 이런 위기나 공포는 항상 오기 마

련이다. 굳이 예측할 필요가 없고, 예측하는 것 자체도 불가능하다. 다만 장기투자 철학, 그리고 반드시 여유자금으로 투자해야 한다는 점을 명심해야 한다.

Q : 코로나19 이전과 이후로 사회의 트렌드나 생활 패턴 등이 달라질까?

A : 아마 그럴 거라고 생각한다. 이런 위기가 오는 건 고통스럽긴 하지만, 옥석을 가리는 기회가 왔다고 볼 수도 있다. 어떤 사회의 많은 불합리한 거

품이 없어진다는 얘기다. 인간의 환경파괴를 반성하는 기회도 되고. 나는 무엇보다 이 기회를 통해서 돈과 노후준비가 얼마나 중요한지 깨닫길 원하고, 잘못된 소비 대신 투자를 하길 바란다. 사람들이 올바른 금융 지식을 얻는 기회가 되었으면 한다.

# 2020년도 부자 능력 시험

# 〈금융문맹 탈출〉 영역 (A형)

| 성명 | | 수험번호 | |
|---|---|---|---|

## 수험자 유의사항

※ 자신이 선택한 과목의 문제인지 확인하시오.

※ 문제지에 성명과 수험번호를 확인하시오.

※ 틀릴 수 있으니 신중하게 생각하고 답을 선택하시오.

※ 〈존리의 금융문맹 탈출〉을 참고하시오.

## 1. 투자하기 가장 좋은 때는?

① 초등학교 입학할 때부터

② 지금

③ 노인이 되었을 때

④ 성인이 되었을 때

## 2. 괄호 안에 알맞은 말을 고르시오.

(　　　　　)를 이해하면, 즉, '금융문맹'에서 벗어나면 누구나 부자가 될 수 있다.

① 민주주의

② 개인주의

③ 사회주의

④ 자본주의

**3. 경제적 자립을 이루어 자발적인 조기 은퇴를 추진하는 사람들을 일컫는 말은?**

① 욜로족

② 니트족

③ 파이어족

④ 딩크족

**4. 다음 중, 주가를 주당순이익으로 나눈 지수를 고르시오.**

① PER

② ROE

③ PBR

④ EPS

## 5. 다음 중 좋은 주식의 조건이 아닌 것은?

① 좋은 경영진

② 회사가 운영하는 산업의 성장 가능성

③ 자회사가 많음

④ 회사의 경쟁력

## 6. 주식을 어려워하는 일반 투자자들의 돈을 전문가들이 모여서 대신 투자해주는 것을 무엇이라고 할까?

① 펀드

② 스톡 옵션

③ 채권

④ 레버리지

**7. 다음 중 특정하지 않는 다수의 투자자로부터 자금을 모으는 펀드는?**

① 사모펀드

② 채권형 펀드

③ 공모펀드

④ 적립식 펀드

**8. 다음 중 펀드에 장기적으로 투자했는지를 알아내는 한 가지 방법으로, 펀드매니저가 그 펀드를 운용하는 동안 얼마나 자주 샀다 팔았다 하는지를 나타내는 빈도는?**

① 회전율

② 수수료

③ ROE

④ 시가총액

**9. 다음 중 기업이 임직원에게 일정 수량의 자사 주식을 일정한 가격으로 매수할 수 있는 권리를 부여하는 제도는?**

① 선물 옵션

② 스톡 옵션

③ 스톡 퍼처스

④ 스톡 포인트

**10. 다음 중 투자자본 수익률을 뜻하는 용어는?**

① ROE

② EPS

③ ROI

④ ROA

## 11. 다음 중 여러 회사의 주식을 매입한 펀드를 거래소에 상장시켜서 투자자들이 주식처럼 거래소에서 사고팔 수 있는 펀드는?

① 뮤추얼 펀드

② ETF

③ 헷지 펀드

④ 리츠

## 12. 다음 중 펀드를 고를 때 살펴봐야 할 내용 중 바르지 않은 것은?

① 펀드를 운용하는 펀드매니저가 일하고 있는 자산운용사가 믿을 만한 회사인지를 살펴본다.

② 장기적으로 투자하고 있는지를 알아본다.

③ 단기간 수익률이 높았던 것을 선택한다.

④ 수수료를 알아본다.

**13. 부자가 되려면 라이프스타일에서 꼭 버려야 할 세 가지가 있는데, 다음 중 그 세 가지에 해당하지 않는 것을 고르시오.**

① 부자처럼 보이려고 하는 라이프스타일

② 여유자금을 투자하는 것

③ 값비싼 자가용

④ 사교육비

**14. 자녀들에게 어렸을 때부터 돈의 중요성을 알려주며, 미국 인구의 2%밖에 되지 않지만 많은 자산으로 미국을 움직이게 하는 힘이 있는 사람들은?**

① 아시아인

② 유대인

③ 히스패닉

④ 하와이 원주민

**15. 다음 중 55세 때부터 찾을 수 있으며 1년에 400만 원까지 세액공제 혜택을 주고, 최대 1,800만 원까지 가입할 수 있는 펀드는?**

① 변액보험

② 채권형 펀드

③ 연금저축 펀드

④ 헷지 펀드

**16. 다음 그림이 상징하는 것처럼, 회사의 일부를 취득해서 자본가가 될 수 있는 첫걸음은?**

**(주관식)**

(          )을 사는 것

## 17. 괄호 안에 들어갈 단어를 고르시오.

| 주가는 단기적으로는 변동성을 가지지만 결국에는 그 회사의 (　　)에 수렴하게 된다. |
|---|

① 가치

② 안정성

③ 발전

④ 브랜드

## 18. 괄호 안에 알맞은 말을 적으시오. (주관식)

| 발행된 주식 수 × 주가 = (　　　　　　　　) = 회사의 가치 |
|---|

______________________

## 19. 30대 직장인이 주식에 투자할 때, 노후준비를 위해 월급의 몇 %를 꾸준히 투자하면 될까?

① 30~40%

② 10~20%

③ 40~50%

④ 50~60%

## 20. 괄호 안에 알맞은 말을 고르시오.

| 부자가 되는 비결은 기술이 아니라 (　　　　)에 있다. |
|---|

① 돈

② 라이프스타일

③ 주식 트레이딩

④ 단기투자

## 21. 다음 중 주식을 팔아야 할 세 가지 경우에 해당되지 않는 것은?

① 돈이 필요해서

② 내가 투자한 기업이 경쟁력을 잃었을 때

③ 5만 원에 산 주식이 5만 5천 원이 됐을 때

④ 새로운 투자 대상을 찾았을 때

## 22. 괄호 안에 알맞은 말을 고르시오.

> 경영진의 '자질'을 알기 위해 제일 먼저 봐야 할 게 뭘까? (　　　)를 보면 여러 가지 힌트를 얻을 수 있다. 회사 CEO가 생각하는 경영 방침, 지금까지 어떤 일이 있었는지 등을 반드시 읽어야 한다.

① 그래프

② 투자 방침

③ 영업 보고서

④ 증권사 리포트

## 23. 괄호 안에 알맞은 말을 고르시오.

| 주식투자는 기업가와 동업을 하는 것이라 했다. 과연 동업할 만한 기업가인지를 판단하는 기준에는 여러 가지가 있다. 대주주가 그동안 어떤 일을 했는지, (　　)이 주주의 이익을 위해 어떤 일을 했는지 등을 볼 필요가 있다. |
|---|

① 경영진

② 직원

③ 소주주

④ 중간 관리자

## 24. 괄호 안에 알맞은 말을 적으시오. (주관식) ____________

| 어떤 회사의 주식이 아주 좋아 보인다면, 1만 원이든 5만 원이든 돈이 생길 때마다 사는 것이다. 다만 그 주식 하나만 가지고 있으면 위험하니까, (　　　) 투자해야 한다는 말이다. |
|---|

**25. 다음 그림은 주식투자에서 절대 하지 말아야 할 행동을 나타낸다. 빈칸에 들어갈 만한 내용은 무엇일까?**

① 전업 투자가가 될

② 사업가가 될

③ 장사를 할

④ 부동산에 투자할

## 26. 괄호 안에 알맞은 말을 고르시오.

| ( )이 낮으면 낮을수록 상대적으로 저평가된 기업이다. |
|---|

① PER

② ROE

③ 시가총액

④ 기업가치

## 27. 괄호 안에 알맞은 말을 적으시오. (주관식)

| ( )는 이자가 이자를 버는 겁니다. |
|---|

________________

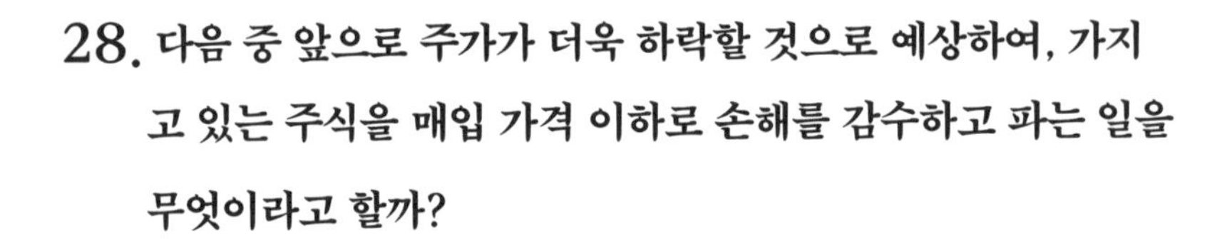

**28. 다음 중 앞으로 주가가 더욱 하락할 것으로 예상하여, 가지고 있는 주식을 매입 가격 이하로 손해를 감수하고 파는 일을 무엇이라고 할까?**

① 장기투자

② 손절매

③ 발행

④ ETF 투자

**29. 괄호 안에 알맞은 말을 적으시오. (주관식)**

> 1980년에 도입된 퇴직연금제도인 (　　　　) 플랜은 미국이 다시 경쟁력을 회복할 수 있는 계기가 되었고, 미국의 금융산업도 엄청난 경쟁력을 갖게 된다.

____________________

## 30. 괄호 안에 알맞은 말을 고르시오.

> 내가 늘 주식은 장기투자해야 하고, 그 회사의 펀더멘털을 봐야 한다고 강조하는 게 그런 이유다. 어떤 주식을 매매할 때 그래프에 의존하기보다, 그 회사의 (　　　　)을 판단하고 투자해야 한다는 것이다.

① 경쟁력

② 변동성

③ 역사

④ 철학

**NOTICE**

※ 정말로 금융문맹에서 벗어나셨다면 100점은 식은 죽 먹기!
2020년 제1회 부자능력평가 〈금융문맹 탈출〉 영역에 대한 정답을 11월 22일까지 아래 QR코드를 통해 베가북스 블로그에 접속하여 제출해주세요. 추첨을 통해 '존 리의 리치 박스'를 선물로 드립니다.

베가북스 블로그

주식이나 펀드에 투자해야 한다는 당위성에 공감하더라도, 이를 실제 행동에 옮기려 하면 그저 아득하고 막막해질 수가 있다. 이럴 때 다음 페이지에서부터 소개하는 체크리스트(점검표)를 작성해보는 것도 좋은 방법이라고 생각한다.

한번 작성해보는 것으로 끝내지 말고, 한 기업에 대한 체크리스트를 주기적으로 업데이트하여 과거에 작성했던 것과 꼼꼼히 비교해보면서 바람직한 투자 습관을 몸에 익힐 수도 있다.

주식이나 펀드에 계속해서 관심을 가진다는 것은 결코 단기간의 가격 변동에 따라 주식을 사고팔기 위함이 아니다. 투자 대상에 대해서 혹시 잘못 파악하고 있는 점은 없는지, 꼭 알아두어야 할 새로운 사안이 발생하진 않았는지, 점검하기 위함이다. 설사 그 기업에 부정적인 변화가 생겼다 하더라도, 거기에 커다란 의미가 없다면 굳이 주식을 매각할 필요는 없다. 이미 가격에 반영되었을 가능성이 크기 때문이다.

주식이나 펀드에 좀 더 지속적으로 흥미를 갖고 싶다면, 식구들과 함께 여기 소개하는 체크리스트를 정기적으로 작성해보기 바란다. 아이들은 아이들 나름의 투자클럽을 구성하고, 어머니들은 주부투자클럽 같은 것을 만들거나 가입하시기 바란다. 물론 아버지들도 마찬가지다.

메리츠자산운용은 거의 매일 늦은 시간에 Zoom(줌)을 통하여 금융교육을 실시하고 있다.
'금융문맹 탈출,' 대한민국의 풍요로운 미래를 위한 유일한 희망이다.

# 주식투자를 위한 존 리의 체크리스트

1. 기업 이름 : 업종 :
   Code :

2. 시가총액 : 원 현재 주가 : 원

3. 기업 개요 :

4. 매출액 분포 : ( %) ( %)
   ( %) ( %)

5. 영업이익 분포 : ( %) ( %)
   ( %) ( %)

6. 주주 현황 : ( %) ( %)
   ( %) ( %)
   기업지배구조 :

7. 간단한 재무 분석 :

| | 2020 | 2019 | 2018 | 2017 | 2016 |
|---|---|---|---|---|---|
| PER | | | | | |
| PBR | | | | | |
| Debt/Equity | | | | | |
| Dividend Yields | | | | | |

8. 이 기업에 투자해야 하는 이유 :
   (1) (2)
   (3) (4)

9. 투자 리스크 :
   (1) (2)
   (3) (4)

10. 결론 : ☐ 매입 BUY ☐ 매도 SELL ☐ 보유 HOLD

# 펀드투자를 위한 존 리의 체크리스트

1. 펀드 이름 :

2. 펀드 운용사 :

3. 펀드매니저 이름 :

   경력 :

4. 펀드 개요와 특징 / 투자 대상

5. 펀드의 평균 회전율 :

6. 수수료 : 선취수수료

   판매수수료

   선취수수료

7. 펀드의 장점 :

8. 펀드의 단점 :

9. 결론 : ☐ 매입 BUY ☐ 매도 SELL ☐ 보유 HOLD

# 에필로그

이 책 『존리의 금융문맹 탈출』을 탈고한 지금, 저는 가슴 설레기도 하지만, 주식에 대한 올바른 철학이 제대로 전달되지 못한 건 아닐까, 염려되기도 합니다. 최근 유튜브와 방송 출연을 통해 저의 생각들이 알려진 탓인지, 갈수록 많은 사람이 경제독립에 관심을 가지게 된 것 같아 무척 고마운 마음도 들고 하루에도 몇 번씩 감동하게 됩니다.

희망이 생겼다고 마음을 다시 가다듬었다는 분, 대한민국이 이렇게 경쟁력 있는 나라였는지 처음 깨달았다는 분, 지금부터 손자들에게 펀드를 선물하시겠다고 하는 분, 이런 분들이 매일매일 저의 마음을 따뜻하게 해주십니다.

메리츠자산운용과 저는 또 하나의 대장정을 시작합니다. 전국의 대도시는 물론 작은 마을까지 경제독립을 주제로 하여 찾아갈 예정입니다. 방문 요청이 엄청나게 많아지고 있습니다. 저의 꿈은 어린아이부터 어른까지 모두 다 경제적으로 풍요롭고 즐거운 라이프를 즐길 수 있는 날이 오는 것입니다. 이러한 저의 소망이 이루어지는 것은 금융문맹 탈출로부터 시작된다고 믿습니다. 저는 하루에 5천 원이라도 꾸준히 투자하는 인구가 5,000만 명에 이르는 날을 꿈꿉니다. 대한민국의 미래는 너무나 벅찰 정도로 밝다는 것이 증명되었으면 합니다.

다시 한번 우리 가족에게 감사합니다. 전국 금융문맹 탈출 투어를 하느라 많은 시간을 같이하지 못하는데도 불평하지 않고 오히려 격려를 아끼지 않는 아내와 두 아들에게 이 책을 바칩니다.

코로나 확산으로 인해 만만치 않은 경제적 어려움을 겪고 있는 많은 분들께도 무한한 위로를 드립니다.

끝으로 나의 보스이자 친구인 코리아펀드 창시자 닉(Nicholas Bratt)과 지금은 하늘나라에 있지만 한국을 너무나도 사랑했던 윌리(William Holzer)에게 이 책을 헌정합니다.

# 찾아보기

## 찾아보기

**존리의 금융문맹 탈출**

초판 1쇄 발행 2020년 10월 12일
초판 18쇄 발행 2023년 8월 3일

**지은이** 존 리
**펴낸이** 권기대

**펴낸곳** (주)베가북스 **출판등록** 2021년 6월 18일 제2021-000108호
**주소** (07261) 서울특별시 영등포구 양산로17길 12, 후민타워 6~7층
**주문 · 문의 전화** (02)322-7241 **팩스** (02)322-7242

ISBN 979-11-90242-51-6



* 책값은 뒤표지에 있습니다.
* 잘못된 책은 구입하신 서점에서 바꾸어 드립니다.
* 좋은 책을 만드는 것은 바로 독자 여러분입니다.
베가북스는 독자 의견에 항상 귀를 기울입니다. 베가북스의 문은 항상 열려 있습니다.
원고 투고 또는 문의사항은 vega7241@naver.com으로 보내주시기 바랍니다.
* 베가북스에 대한 더 많은 정보가 필요하신 분은 홈페이지를 방문해주시기 바랍니다.

**e-Mail** vegabooks@naver.com **홈페이지** www.vegabooks.co.kr
**블로그** http://blog.naver.com/vegabooks
**인스타그램** @vegabooks **페이스북** @VegaBooksCo